D1470521

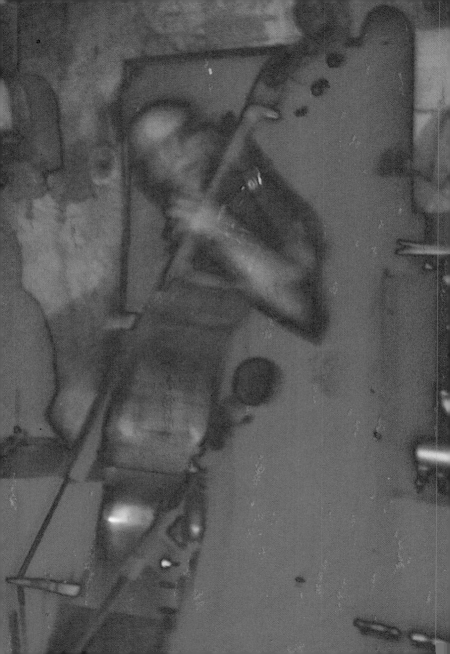

F ranck Bergerot
est né en 1953.
Passionné par les
musiques populaires,
il s'est plus
particulièrement
consacré à la plus
savante d'entre elles,
le jazz. Ancien
collaborateur de *Jazz
Hot*, chroniqueur au
Monde de la Musique
et responsable de la
Discothèque de
Montrouge, il est
chargé de cours
d'histoire du jazz à
Paris X. En 1990, il a
dirigé l'enregistrement
de l'anthologie «Paris-
Musette» qui a obtenu
le Grand Prix du
disque de l'Académie
Charles-Cros.

A rnaud Merlin est
né à Tours en 1963.
Après des études de
musique à la Sorbonne
et au Conservatoire
national supérieur
de musique de Paris
– où il obtient les prix
d'histoire de la musique
et d'esthétique –, il se
destine au journalisme.
Il collabore tout
d'abord à *Jazz Hot* et
à *Jazz à Paris*, puis au
Monde de la Musique
et à France-Musique.
Il est coauteur de
l'*Agenda du Jazz* 1989
et de *Jazz en France*.

*Tous droits de traduction
et d'adaptation réservés
pour tous pays
© Gallimard 1991*

*Dépôt légal : septembre 1991
Numéro d'édition : 52111
ISBN : 2-07-053143-0
Imprimerie Kapp Lahure
Jombart, à Evreux*

L'ÉPOPÉE DU JAZZ
AU-DELÀ DU BOP

Franck Bergerot et Arnaud Merlin

DÉCOUVERTES GALLIMARD
MUSIQUE

Déporté d'Afrique, le peuple noir américain s'est inventé une musique, le jazz. Celui-ci a connu sa période classique sous le règne du divertissement. Mais, lassés d'amuser la galerie, de jeunes musiciens se sont constitués en avant-garde. Le bop ouvre la voie du jazz moderne. S'il perd en popularité, il devient l'expression privilégiée d'un nombre croissant d'artistes, étrangers à ses origines sociologiques.

CHAPITRE PREMIER
QUE FAIRE DU BE-BOP?

Charlie Parker (à gauche) rencontre, en 1949, le pianiste, compositeur et pédagogue, Lennie Tristano, chef de file du jazz cool new-yorkais.

Dans les clubs de la 52ᵉ Rue, les petites formations expérimentales du bop ont révolutionné le jazz. De nombreux musiciens vont en tirer les conséquences. New York est alors la cité de toutes les avant-gardes artistiques et de toutes les effervescences intellectuelles. Littérature, théâtre et peinture sont, dans les salons de la ville, au cœur des conversations. Arrivé récemment à New York pour rallier la cause du bop, l'arrangeur Gil Evans ne dispose pas d'un salon. Une simple chambre située près de la 52ᵉ Rue lui suffit : elle est ouverte jour et nuit. Rassemblés autour d'un électrophone où tournent aussi bien les disques de Lester Young et Charlie Parker que ceux d'Alban Berg et Maurice Ravel, les chefs de file de la musique noire américaine viennent y échanger leurs points de vue théoriques avec de jeunes musiciens blancs.

Alors que les masses populaires noires commencent à lui préférer le rhythm'n'blues naissant, tout laisse à penser que le jazz n'est plus la propriété exclusive de la communauté afro-américaine. Le bop fait du jazz un langage offert aux sensibilités en quête d'un mode d'expression savant, mais plus libre et plus physique que la musique occidentale classique.

«Birth of the Cool»

Cool signifie frais, tiède, rafraîchissant, mais aussi décontracté. A quelqu'un qui s'énerve on dit «Keep cool» («reste calme, garde ton sang-froid»). C'est ainsi que, par opposition au jazz hot (chaud, brûlant), on désigne la façon dont les jazzmen blancs interprétèrent le jazz parkérien à partir de la seconde moitié des années quarante. Mais, paradoxalement, c'est au plus fier des musiciens noirs, Miles Davis, qu'est attribuée la «naissance du cool». En effet, ses enregistrements Capitol de 1949 sont à ce point

Voici la 52ᵉ Rue (ci-dessus) où se précipite Gil Evans en arrivant à New York en 1946, avant même d'avoir trouvé où se loger. L'activité de celle que l'on appelait «La Rue» touche alors à son apogée, mais amorce son déclin. En 1948, c'est à Broadway, au Royal Roost, que Miles Davis présentera son nonette.

significatifs de l'avènement du jazz cool qu'ils furent regroupés sous le titre «Birth of the Cool» lors dès rééditions ultérieures.

Miles Davis ne dispose ni de la fabuleuse virtuosité, ni de la brillante sonorité de Dizzy Gillespie. De ces lacunes il s'est fait un style sobre, aéré, réfléchi; et une sonorité sans éclat, feutrée, évitant l'aigu et privilégiant le registre médium. «Keep cool!» semble-t-il répondre à la vélocité de Dizzy Gillespie, comme Lester Young semblait le signifier à l'impétueux Coleman Hawkins. Aussi ne se satisfait-il pas des énoncés rapides à l'unisson ni des solos débridés qui caractérisent le be-bop. En 1948, au moment de constituer autour de lui

Miles Davis, Lee Konitz et Gerry Mulligan enregistrent «Birth of the Cool» chez Capitol.

une formation différente de l'habituel quintette be-bop, il fait appel à Gil Evans et Gerry Mulligan.

Tous deux ont imaginé un nonette (neuf instruments) pour servir d'écrin au trompettiste; on y entend notamment deux instruments peu utilisés jusque-là : le cor et le tuba. Ce dernier ponctuait la musique des premiers orchestres de jazz avant d'être définitivement écarté par la contrebasse. Il est désormais totalement intégré au tissu orchestral.

Un art de grand couturier

A la répartition très claire des fonctions entre les sections instrumentales (trompettes, trombones, saxophones), Gil Evans préfère la densité et la richesse obtenues par la fusion de timbres des différentes familles. Ses orchestrations évoquent le chatoiement des couleurs et le poids des étoffes. La séduction du son prime sur l'efficacité du swing, et son *Moondreams* s'étire dans une dramatique torpeur. Parmi les autres arrangeurs requis pour l'occasion, tous habitués de la chambre de Gil Evans, Gerry Mulligan innove particulièrement : il s'efforce de rompre avec le découpage en huit mesures. Lorsque le schéma harmonique s'y réfère encore, ses orchestrations sont décalées pour l'estomper. Bien plus, la souveraineté de la mesure à quatre temps et de l'unité rythmique est mise en cause avec l'apparition de mesures à deux et trois temps isolées dans l'exposition du thème de *Jeru*. Ainsi le nonette de Miles va à l'encontre de toutes les idées reçues sur le caractère léger du jazz. Il semble plus revendiquer l'écoute recueillie du Carnegie Hall, récemment conquise par Ellington, que celle d'un club bruyant.

La maison Prestige (pochette ci-dessus), illustra quelques-unes des nouvelles conceptions du jazz au début des années cinquante, à travers des pièces de Stan Getz, Gerry Mulligan, et surtout Miles Davis (sa première séance pour le microsillon) et Lee Konitz (une séance légendaire intitulée «Ezz-thetic» d'après une composition tout à fait futuriste de George Russell). Ci-dessous : Gil Evans et Miles qui, à la suite de «Birth of the Cool», ne cessèrent de collaborer.

Miles Davis n'est cependant pas seul responsable de cette «naissance du cool» à New York

L'altiste Lee Konitz, l'un des principaux solistes invités par Miles Davis sur les sessions Capitol de 1949, est au saxophone be-bop de l'époque ce que Woody Allen est au cinéma américain d'aujourd'hui : son pâle visage d'étudiant distrait tranche auprès des figures exubérantes du bop. Il en va de même de sa façon de jouer. Il atténue la virtuosité vindicative de Charlie Parker à l'écoute des phrases flottantes de Lester Young ainsi qu'au contact du pianiste Lennie Tristano. Ce dernier, disciple de Charlie Parker,

Les découpages audacieux de Gerry Mulligan (ci-dessus) firent bon ménage avec les habitudes prises par Gil Evans dans l'orchestre de Claude Thornhill. Ce dernier privilégiait une instrumentation très particulière, propice aux ambiances feutrées et dramatiques.

théorise les découvertes des bopers et radicalise leurs conceptions, à travers son expérience d'enseignant. En mettant l'accent sur la dimension mélodique, harmonique et rythmique, il gomme les aspects expressionnistes du bop. Le cénacle de jeunes musiciens blancs qu'il rassemble, et en particulier ses disciples saxophonistes (Lee Konitz et Warne Marsh), modèrent les fulgurances du langage bop en adoptant des sonorités feutrées, aériennes et sans vibrato, héritées de Lester Young. Se référant aux fugues et contrepoints de Jean-Sébastien Bach, ils pratiquent volontiers l'improvisation à deux voix, et sont responsables, avec

Lennie Tristano, des premières improvisations libres (sans le secours d'aucun thème écrit, ni même d'aucune grille harmonique convenue).

Le «cool» se cristallise sur la côte Ouest des Etats-Unis chez Stan Kenton et Woody Herman

Originaire de la côte Ouest, Stan Kenton combine, dès les années quarante, le swing et l'esprit des compositeurs classiques du XXᵉ siècle. Si l'emphase fréquente de son œuvre est restée très contestée, sa formation sert alors de creuset au jazz de la côte Ouest. C'est là, en effet, que se rencontrent les principaux acteurs du «West Coast Jazz», tous blancs et pareillement fascinés par Charlie Parker et Lester Young : Art Pepper, Gerry Mulligan, Zoot Sims, Shorty Rogers, Shelly Manne, Frank Rosolino.

Lee Konitz et Warne Marsh, les principaux disciples de Lennie Tristano. On critiqua la froideur de ce dernier et l'intellectualisme de sa démarche, sans comprendre que son souci premier était l'attention intérieure, l'écoute réciproque, l'imagination permanente et le discours vrai à l'écart des formules de routine.

A partir de 1947, Woody Herman met en avant, au sein de son orchestre, ses Four Brothers, quatre «frères» saxophonistes entièrement dévoués à la modernité parkérienne et plus encore au style nonchalant de Lester Young. Le plus célèbre d'entre eux restera Stan Getz. Révélé par son solo sur *Early Autumn* en 1948, il s'y pose en apôtre de la fragilité et du romantisme typiques de la côte Ouest.

Si la plupart des «West coasters» sont sortis des rangs de Stan Kenton et Woody Herman, il serait dangereux de réduire la «West Coast» à un courant unique. Il s'agit avant tout d'un espace géographique où se sont regroupés de jeunes musiciens, plus séduits par la douceur de vivre californienne que par la violence new-yorkaise. Bons techniciens et bons lecteurs, ils trouvent du travail dans les studios d'Hollywood et ont en commun le goût du raffinement et de l'écriture qu'ils développent sous l'influence du nonette de Miles Davis.

Le Lighthouse de Hermosa Beach fut le point de ralliement des West coasters. Ils se retrouvaient fréquemment autour du programmateur du lieu, le contrebassiste Howard Rumsey qui y dirigeait son All Stars.

West Coast et mal de vivre

Autant le be-bop new-yorkais semble être l'expression collective d'une communauté qui lutte pour la survie et la reconnaissance, autant les jazzmen de la côte Ouest semblent s'abandonner à l'introspection et aux douleurs existentielles avec une indifférence affichée pour tout ce qui les entoure. Aussi, amateurs et critiques éprouveront-ils quelque difficulté à placer ces jeunes bourgeois blancs sur le même plan que les idoles noires du ghetto.

Avec les années cinquante, l'Amérique du «maccarthysme» s'enfonce dans la guerre froide et la chasse aux communistes. Pourtant la vie culturelle est à son apogée. Dès 1951, c'est le triomphe des écrivains de la Beat Generation, qui rejettent la société de consommation. Poètes de l'errance, tel Jack Kerouac, ils font souvent référence au jazz et participent avec les musiciens californiens à des expériences associant musique et littérature. Précédant l'explosion du rock sur les campus universitaires américains, le jazz West Coast devient alors l'expression d'une jeunesse en révolte contre la bourgeoisie dont elle est issue.

Ainsi, loin d'être insouciante, la musique de Paul Desmond véhicule plutôt un désespoir tranquille et désabusé, tandis que l'alto d'Art Pepper, plus instable et intense, affiche une sensualité insatiable. Quant à Chet Baker, il est la grande figure romantique de la côte Ouest. Bien plus, auprès du saxophoniste baryton Gerry Mulligan, qui s'investit dans les années cinquante en Californie, il participe à un quartette sans piano, significatif de ce que fut le jazz West Coast. Le souci de construction, la limpidité mélodique, les exposés et solos à deux voix en contrepoint, la douceur des climats et les allures de musique de chambre annoncent déjà

De ce «trompettiste-grenouille» qui illustrait la pochette d'un disque rassemblant les principaux musiciens californiens, on retiendra l'impression d'une musique légère, faite pour accompagner les cocktails après les jeux de plage. Le jazz West Coast fut cependant tout autre chose, comme en témoignent les expériences menées autour du trio constitué par Shelly Manne, Jimmy Giuffre et Shorty Rogers.

bien des options du jazz futur. Enfin, en l'absence de piano, l'énoncé des harmonies par la seule contrebasse ouvre au soliste un espace de liberté plus large.

Les douces sonorités du West Coast jazz dissimulent plus d'une audace

Malgré l'influence permanente du nonette de Miles Davis, la musique de ceux qui font carrière à Hollywood peut paraître conforme aux clichés des plages ensoleillées de la côte californienne. Derrière les facilités apparentes, se dissimule cependant un esprit foncièrement novateur. Parmi les innombrables noms que répètent comme autant de formules magiques les inconditionnels du jazz californien, le trompettiste Shorty Rogers occupe une place prédominante. Combinant les couleurs du nonette de Miles Davis avec l'écriture spontanée et «swingante» des moyennes formations de Count Basie, Shorty Rogers intègre de nombreux emprunts aux structures sophistiquées de la musique classique.

Ces emprunts furent monnaie courante sur la côte

Ce disque, «Art Pepper + Eleven», est typique de la West Coast : de par les musiciens qui l'ont réalisé (Pete Candoli, Jack Sheldon, Bud Shank, Bill Perkins, Richie Kamuca, Russ Freeman, Mel Lewis...), de par la référence permanente au bop de la côte Est (compositions de Thelonious Monk, Dizzy Gillespie, Charlie Parker...), enfin, de par la magnificence du son commune aux arrangeurs californiens. Le paradoxe de la West Coast se trouve tout entier dans cet enregistrement, à mi-chemin entre les studios d'Hollywood, où Marty Paich fit une carrière confortable, et la prison de San Quentin où Art Pepper grilla son existence de *junkie*. La carrière de Dave Brubeck (ci-contre), ancien élève de Darius Milhaud, s'est déroulée à l'écart de la communauté californienne, avec un petit nombre de partenaires, Bill Smith, Joe Morello et l'auteur du célèbre *Take Five*, Paul Desmond. Ce dernier représente un cas extrême du jazz West Coast.

Ouest. Le quartette de Dave Brubeck vulgarisa ainsi nombre de procédés étrangers au jazz et rencontra un tel succès qu'il demeure, aujourd'hui encore, suspect aux yeux des puristes.

Les expériences du saxophoniste et clarinettiste Jimmy Giuffre furent beaucoup plus radicales. Dès les années cinquante, à la tête de formules orchestrales insolites (clarinette, trompette et batterie), il devança les libertés prises dans les années soixante par le «free jazz». Mais son goût pour l'atmosphère intime de la musique de chambre en fit également le précurseur d'options qui s'épanouirent dans les années soixante-dix. A la même époque, en France, André Hodeir adoptait des solutions opposées pour obtenir des résultats aussi visionnaires. En écrivant des improvisations simulées, il tentait de piéger

V isage à la James Dean, sonorité voilée, lyrisme épuré, le trompettiste Chet Baker (ci-contre) fut d'abord dénoncé comme un pâle imitateur de Miles Davis, avant d'être reconnu comme l'un des improvisateurs les plus bouleversants depuis Louis Armstrong.

La pochette du disque «The Three & The Two» du batteur Shelly Manne, avec ses célèbres pingouins, est aujourd'hui une pièce de collection. Cette musique expérimentale rejoignait les préoccupations du pianiste noir John Lewis. Arrangeur du big band de Dizzy et du nonette de Miles Davis, Lewis revisita les formes canoniques de la musique classique avec son Modern Jazz Quartet (pochette ci-dessous) et créa avec Gunther Schuller le «Third Stream». Ce «troisième courant» associait la spontanéité du jazz aux qualités d'écriture de la musique savante occidentale. Il annonçait l'éclectisme du jazz contemporain. Page de droite : Dexter Gordon, une autre façon d'assimiler les leçons «cool» de Lester Young.

et d'organiser dans un travail de compositeur la puissance de l'art improvisé.

Côte Ouest et jazz cool ne furent pas la propriété exclusive des musiciens blancs

C'est à Hollywood, dans une ambiance surchauffée, que furent enregistrés, en juin 1947, les duels sublimes des saxophonistes noirs Wardell Gray et Dexter Gordon. Tous deux partageaient certes le culte de Lester Young avec leurs confrères blancs, mais leur son était plus expressionniste, le débit de leurs phrases plus conforme aux exigences du be-bop, leur propos plus agressif et, lorsqu'ils s'abandonnaient totalement à la nonchalance du phrasé «à la manière de Lester», c'était avec une sensualité plus affichée.

A l'inverse, d'autres musiciens noirs, rattachés ou non à la West Coast, partageaient avec leurs confrères blancs le goût des sonorités feutrées et raffinées. Aux heures chaudes du «hard bop», Miles Davis continuait à cultiver la retenue du jeu recherchée par les musiciens cool. Il est vrai qu'il obtenait moins un effet de détente qu'une impression de violence contenue qui provoquait un sentiment de tension chez l'auditeur.

Face aux questions soulevées par le bop, les musiciens noirs de la côte Est ne sont pas restés inactifs. Ils ont intégré le bop au grand orchestre, enrichi ses formes, maîtrisé son vocabulaire et fait l'apprentissage de nouveaux rythmes. Au cœur des années cinquante, à l'opposé du jazz cool, ils durcissent le ton et puisent aux racines du blues et du gospel afin de préserver les spécificités de la musique noire.

CHAPITRE II
VERS LE HARD BOP ET LE JAZZ MODAL

Miles Davis (page de gauche) et Thelonious Monk (ci-contre) : deux personnages singuliers qui témoignent de la fécondité de la musique noire américaine à la mort de Charlie Parker.

Actif dans les premières petites formations expérimentales du be-bop, le trompettiste Dizzy Gillespie a effectué le début de sa carrière au sein de big bands, et n'a pas hésité à y faire entendre les premiers accents du be-bop, parfois sous le regard courroucé de ses chefs. En 1946, il forme son grand orchestre où défileront quelques-uns des noms les plus connus. Il fait sensation en intégrant des éléments afro-cubains. Les contacts se sont en effet multipliés entre jazzmen et musiciens originaires de Cuba et de Porto Rico, nombreux à New York dès les années trente. Ainsi, sous l'influence notamment des joueurs de bongos et de congas, les jazzmen vont élargir leurs habitudes rythmiques et explorer de nouvelles façons de concevoir la pulsation.

Le be-bop en big band

Mais par-delà ces emprunts encore très exotiques, le big band de Dizzy Gillespie fait exploser, à l'échelle du grand orchestre, la nature révolutionnaire du langage be-bop, comme l'illustre le *Cubana Be Cubana Bop* de George Russell, lui-même futur chef d'orchestre et théoricien. Dans ce souci de modernité qui stupéfie le public européen lors de la tournée de 1948, Dizzy Gillespie choisit ses collaborateurs à bon escient. Parmi eux, Tadd Dameron fait sensation.
Arrangeur formé à l'école du swing, il se rallie très tôt à l'esthétique be-bop par l'audace de ses thèmes, tel *Hot House*. Il y ravive bientôt la tradition de belle ouvrage en matière d'écriture. Sur ce plan, il n'a rien à envier à ses confrères blancs de la West Coast. Citant volontiers

Maurice Ravel parmi ses influences, il attache une importance égale à la beauté sonore de l'ensemble et à la qualité mélodique de chaque partie, quand beaucoup d'autres ne soignent encore que la première voix.

Dans cette habileté à préserver l'évidence mélodique jusque dans les harmonies les plus «tordues», Tadd Dameron rejoint les préoccupations de l'un de ses plus proches compagnons, le trompettiste Fats Navarro. Soliste prompt à déjouer les pièges harmoniques du be-bop grâce à une imagination peu commune, il cisèle des lignes mélodiques d'une telle densité et d'une telle pertinence qu'elles ne pâliront pas au voisinage du

Le big band de Dizzy Gillespie (ci-dessus) mit à contribution une nouvelle génération d'arrangeurs : Gil Fuller, George Russell, John Lewis, Chico O'Farrill et Tadd Dameron (ci-contre). Les moyennes formations de ce dernier sonnaient comme de véritables grands orchestres, avec une souplesse annonciatrice des bigs bands d'aujourd'hui.

grand Bud Powell, et marqueront de manière décisive les générations suivantes.

Le «trou» de Monk

Le 24 décembre 1954, Miles Davis et Thelonious Monk entrent en studio. Depuis «Birth of the Cool», Miles n'a cessé de s'imposer comme l'une des voix majeures du be-bop. A l'inverse, Monk, vétéran des sessions du Minton's, reste un personnage peu compris. Et ce jour-là, Miles lui-même a du mal à se placer sur les accords étranges de Thelonious Monk. Il finit par lui imposer le silence pendant ses solos, préférant s'appuyer uniquement sur la contrebasse qui lui procure plus d'espace. Est-ce par frustration que dans la deuxième prise de *The Man I Love*, Thelonious Monk semble s'absenter du piano? Son solo a

Comme leurs prédécesseurs d'avant-guerre, les bopers apprécièrent tout particulièrement l'accueil parisien. Ci-dessus : l'album «Bud Powell In Paris», enregistré en 1963. Ci-dessous : Tommy Potter, Boris Vian, Kenny Dorham, Juliette Gréco, Miles Davis, Michèle Vian et Charlie Parker en 1949.

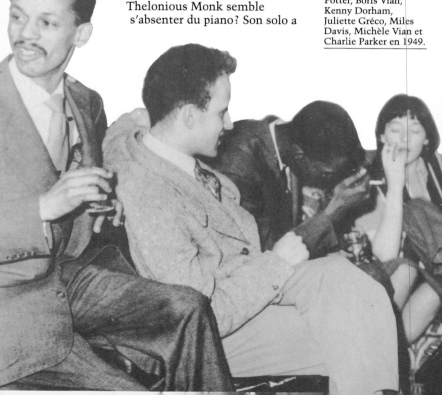

commencé, comme souvent, par une déconstruction en élongation du thème de George Gershwin. L'auditeur a le sentiment d'un escalier se dérobant sous ses pieds, tant se multiplient les décalages rythmiques et les dissonances inattendues. Puis soudain un long silence s'installe : Monk ne joue plus. Impatienté, Miles Davis fait entendre sa trompette pour combler le vide ; alors aussitôt le pianiste, sorti de sa torpeur, se précipite sur le clavier pour reprendre la parole.

On a beaucoup épilogué sur ce «trou» de Monk, sans exactement savoir ce qui s'était passé entre les deux hommes. L'incident éclaire cependant ces deux personnalités capitales du be-bop. Thelonious Monk, ermite longtemps incompris de la modernité, jette ses accords sur le piano comme on jette une

Fats Navarro (ci-dessus) disait de ses confrères : «Ils ne connaissent pas les progressions d'accords. Quand ils les connaîtront mieux, quand ils seront familiarisés avec elles, alors, peut-être, aurons-nous fait un jazz véritablement moderne.» C'est à travers lui et son principal disciple, Clifford Brown, que la modernité du message parkérien fut totalement assimilée.

allumette sur un explosif. Chaque nouvelle combinaison semble le plonger dans une intense réflexion d'où surgira l'accord suivant. Il meurt en 1982, après un dernier silence de dix années. Aujourd'hui, ses compositions sont parmi les plus jouées. Par ailleurs, l'excentricité de son jeu est restée une référence pour chaque nouvelle génération en rupture avec les conventions du moment.

Thelonious Monk n'est pas le premier pianiste condamné au silence pendant les solos de Miles Davis. La façon dont ce dernier répartit les rôles et l'ordre des interventions relève de l'art dramatique. C'est en véritable metteur en scène qu'il gère la durée autorisée par le microsillon, multipliant les arrangements internes ou modifiant les climats à l'aide de sa sourdine. Il n'hésite pas à faire éteindre les lumières d'un studio pour plonger ses musiciens dans une ambiance particulière. Qu'il soit en compagnie des arrangeurs de «Birth of the Cool» ou des jeunes musiciens de son quintette, Miles est déjà le grand dramaturge qui passionne aujourd'hui les foules.

Ces multiples enrichissements de la matière initiale du bop chez les musiciens blancs ou noirs assurent dès lors, malgré la mort de Charlie Parker en 1955, une postérité certaine à cette musique qui va connaître un nouvel essor avec le «hard bop» (bop dur).

❝ Je n'aimais pas ce qu'il faisait derrière moi. [...] Il fallait être Coltrane pour jouer avec Monk – tout cet espace, ces trucs disloqués. ❞
Miles Davis avec Quincy Troupe, *Miles, l'autobiographie,* Presses de la Renaissance, 1989

A la fin des années cinquante, la population noire américaine relève la tête

Pendant la guerre de Corée, sous l'impulsion du sénateur McCarthy, la farouche répression anti-communiste n'épargne aucune communauté suspecte : artistes, intellectuels, militants noirs...
En 1954, McCarthy est désavoué par le Sénat, et les Etats-Unis entrent dans une période relativement libérale. Sous l'influence du pasteur noir Martin Luther

King, qui préconise la non-violence, les Noirs retrouvent une certaine confiance dans leur combat contre le racisme. A leur volonté d'intégration, s'ajoute la revendication du droit à la différence. Ainsi la négritude commence à être vécue avec fierté et le slogan de la fin des années soixante «Black is beautiful» est déjà présent dans bien des esprits.

En ce milieu de décennie, le trompettiste Clifford Brown pourrait bien être l'incarnation parfaite de cette beauté noire américaine. Héritier de Fats Navarro, il articule la phrase de façon stupéfiante avec un sens mélodique fabuleusement limpide, malgré les détours harmoniques complexes qui parsèment ses compositions. Ces détours, il parvient à les négocier avec une grande simplicité dans le droit fil de la phrase. Le propos, vif comme une lame, est tout à l'opposé du ton introspectif, léger ou expérimental du jazz West Coast. Mais Clifford Brown meurt trop tôt pour connaître l'avènement du hard bop dont il est pourtant à l'origine.

Le 24 décembre 1954, tandis que Monk et Miles enregistraient ensemble pour Prestige, Clifford Brown (ci-contre) improvisait, pour la chanteuse Helen Merrill sur le thème *What's New*, un chorus qui compte au nombre des chefs-d'œuvre de l'histoire du jazz. La même année il avait participé, avec le batteur Art Blakey et le pianiste Horace Silver, aux premières manifestations des Jazz Messengers qui allaient devenir le groupe phare du hard bop. Au moment de l'accident de voiture qui lui coûta la vie, Clifford Brown était associé au batteur Max Roach à la tête d'un quintette comprenant le saxophoniste Sonny Rollins. Aujourd'hui encore, peu de trompettistes échappent à son influence, notamment décelable dans les premiers disques de Wynton Marsalis.

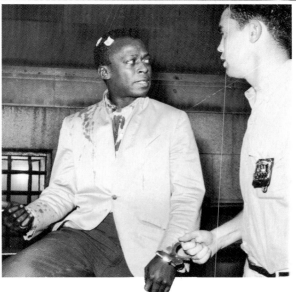

Le sénateur McCarthy (ci-dessus) devant la carte de l'expansion du parti communiste aux Etats-Unis. La «chasse aux sorcières» ne s'est pas limitée aux seuls communistes déclarés, mais s'est étendue à toute communauté suspecte aux yeux de l'Amérique réactionnaire. Pour les Noirs, le déclin du maccarthysme ne change cependant rien à une situation déjà ancienne. Le 26 août 1959, pour avoir refusé de «circuler» devant le Birdland où il travaille, Miles Davis est violemment appréhendé par la police (à gauche).

Le hard bop célèbre les valeurs noires

Le jazz cool ayant envahi le marché pendant la première moitié des années cinquante, certains artistes noirs sont tentés par la sophistication et la retenue de ce jazz blanc, au risque d'édulcorer l'originalité de leur expression. Une réaction s'impose. Plus qu'une simple radicalisation du bop, le hard bop est l'occasion d'un retour aux racines de la musique noire américaine : blues et gospel. C'est aussi l'occasion de renouer avec le public populaire noir, dérouté par les aspects avant-gardistes du jazz moderne.

La vogue du rhythm'n'blues bat alors son plein et l'on commence à parler de «soul music». «Soul» signifie âme. Dans les années cinquante, c'est de cette façon que les Noirs américains nomment l'âme collective de leur peuple. Rejetée par la société blanche pour la couleur de sa peau, la communauté noire affiche ainsi sa différence sur le plan culturel et spirituel. Elle se distingue avec fierté du puritanisme

Depuis les années quarante, le terme rhythm'n'blues englobait l'ensemble des musiques populaires noires américaines. Alors que, dans les années cinquante, la jeunesse blanche reprenait à son compte le rock'n'roll issu du boogie, on utilisa de plus en plus l'expression de soul music pour désigner les musiques noires, en référence à l'influence grandissante du negro spiritual et du gospel song. Il n'y a qu'un pas, vite franchi, des assemblées des églises noires au public de la soul music, de l'art des prêcheurs et chanteurs de gospel à celui de James Brown, Aretha Franklin ou Ray Charles. Le psychédélisme de l'affiche ci-contre témoigne de l'intérêt porté par le public pop à la soul music dans les années soixante.

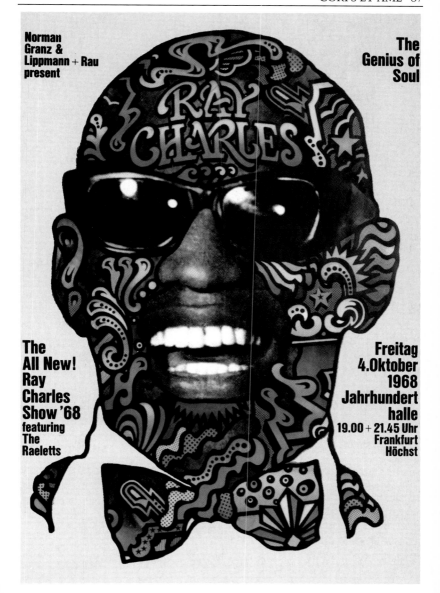

américain en réconciliant corps et âme, danse et
transes religieuses, extase sexuelle et élévation
mystique. La soul music devient la réplique profane
de la musique des églises noires : elle s'adresse au
danseur et parle d'amour.

«Blues March»

Ainsi, revenant aux formes du blues ou du negro
spiritual, le jazz se fait «churchy» (de *church*, église).
Certains titres sont sans ambiguïté : *The Sermon, The
Preacher, Prayer Meeting*. Mais, en allusion argotique

Horace Silver (ci-contre) s'est d'abord illustré aux côtés de Stan Getz et de Miles Davis (affiche ci-dessous). Directeur musical des Jazz Messengers à leur création en 1954, il fut remplacé par Art Blakey en 1956. C'est à cette époque qu'il devint le pianiste funky par excellence. L'efficacité rythmique de ses accompagnements, la progression inexorable et péremptoire de ses phrases, la simplicité de ses propos, les accents «gospelisants» de ses compositions, insufflèrent à ses quintettes ce mélange de trivialité et de légèreté qui caractérise le hard bop. Les trompettistes Blue Mitchell, Woody Shaw, Kenny Dorham, Randy Brecker et Tom Harrell, les saxophonistes Hank Mobley, Junior Cook, Joe Henderson, Michael Brecker et Larry Schneider sont au nombre des célébrités qui participèrent à ces quintettes.

aux odeurs corporelles, on parle également de jazz funky (puant). Proche des plaisirs physiques, simple, direct, péremptoire et insolemment joyeux, le hard bop est l'expression d'une communauté noire fière de son identité, sûre de l'issue et du bien-fondé de ses combats. Il suffit pour s'en convaincre de prêter l'oreille aux compositions de Benny Golson pour Art Blakey tel *Blues March*, *Moanin'* ou *Along came Betty*, ou encore aux thèmes d'Horace Silver, *Song For My Father* ou *Nica's Dream*. Doté d'une frappe implacable, le batteur Art Blakey prend la tête

des Jazz Messengers, groupe phare du hard bop.
Jusqu'à sa mort, il y fera figure de meneur d'hommes
et de découvreur de talents : on y rencontrera Wayne
Shorter, Freddie Hubbard, Keith Jarrett et des dizaines
d'autres. A ses côtés, ils feront l'apprentissage d'une
efficacité qui est le propre du hard bop. C'est, tout
d'abord, l'œuvre de la section rythmique. Celle-ci,
chez les premiers bopers, énonçait les accords et
maintenait le tempo, tout en offrant une
contradiction stimulatrice au soliste. Désormais elle
a pour tâche d'installer le climat selon des formules
répétitives s'inspirant du gospel song et de la soul
music. Les arrangements rythmiques provoquent les
déhanchements des danseurs. Comme dans le
rhythm'n'blues, la pulsation s'appuie fortement sur le
contretemps de la mesure traditionnelle à quatre
temps. Mais celle-ci n'a plus l'exclusivité qui était la
sienne depuis les années vingt, et la mesure à trois
temps devient de plus en plus fréquente. C'est la
définition même du swing, valeur essentielle de
la musique négro-américaine, qui se trouve ainsi
remise en question.

Phrasé binaire et latin jazz

Le swing (ou balancement) garantit au jazz souplesse,
dynamique et richesse rythmique. Il introduit
subjectivité et irrationalité dans un art basé sur la

Art Blakey (ci-contre) en compagnie (page de gauche) de Lee Morgan, Wayne Shorter, Curtis Fuller et Reggie Workman. Chef de file du hard bop, Art Blakey est avant tout un meneur d'hommes. Parmi les batteurs qui lui sont contemporains, on retiendra principalement Max Roach, l'architecte, et Roy Haynes, l'orfèvre, sans oublier Philly Joe Jones qui, par ses audaces sur la cymbale «charleston», annonce le foisonnement d'Elvin Jones. Double page suivante : le joueur de congas Candido Camero. La symétrie des battements des mains sur les tambours cubains correspond à la découpe en croches égales des musiques afro-cubaines. Au cours des années cinquante, elle ne fait plus figure d'exotisme comme c'était encore le cas chez Dizzy Gillespie, mais s'est intégrée au vocabulaire du jazzman. Alors qu'avec Art Blakey on redécouvre les polyrythmies africaines, ce sont toutes les habitudes rythmiques de la musique afro-américaine qui entrent en mutation.

régularité. Il est la clé de cette fabuleuse liberté avec laquelle les jazzmen placent chacune de leurs notes sur un tempo qui, lui, reste immuable. Le swing était jusque-là attribué à l'asymétrie du phrasé «ternaire». Ce terme désigne ici une division en trois parties, non pas de la mesure, mais du temps. Là où le musicien classique joue deux croches égales, le jazzman étire la première et précipite la seconde, donnant ainsi une impression d'élasticité, de rebond. Le phrasé «binaire» fait une entrée encore timide dans le jazz de Gillespie, avec le battement symétrique des mains sur les peaux des tambours afro-cubains. Après avoir constaté que «ça balançait» tout autant qu'en ternaire, les jazzmen ont assimilé progressivement de nouvelles habitudes rythmiques. Dès la fin des années cinquante, les rythmes latins (calypso jamaïcain, mambo afro-cubain, bossa nova brésilienne) ne sont plus de simples emprunts exotiques, mais tendent à imprégner le vocabulaire quotidien des musiciens de jazz et contribuent ainsi au succès du hard bop.

Grâce à un réel savoir-faire, les arrangements sommaires à plusieurs voix magnifient encore l'efficacité des thèmes. Ceux-ci, faciles à retenir, s'inspirent souvent du blues ou du gospel dont ils accentuent les formules typiques. Au lieu de détourner les standards de la comédie musicale par de complexes démarquages, comme le faisaient jusque-là les bopers, les hard bopers les évitent et leur préfèrent souvent leurs propres compositions, plus dépouillées, caractérisées par une certaine brutalité, tant harmonique que rythmique.

Les rapides successions

B ien que devenu l'une des plus grandes figures du jazz moderne, à la suite de sa participation aux formations de Miles Davis et du batteur Max Roach, Sonny Rollins (à droite et ci-dessous) ne cessa de chercher sa place parmi les grands novateurs. Pourtant, dès 1957, ses différents trios, saxophone/basse /batterie, avec les batteurs Pete LaRoca et Elvin Jones («A Night at the Village Vanguard»), Max Roach («The Freedom Suite») ou Shelly Manne («Way Out West») avaient fait date par la liberté de propos qu'autorisait l'absence de piano.

d'accords du be-bop imposaient aux solistes des écarts mélodiques continuels. Avec le temps, ils ont appris à survoler ces détours tout en préservant la continuité de leurs phrases. Ainsi le hard bop a gardé le goût d'enchaîner des accords sans rapport apparent, mais ne s'embarrasse plus des cheminements complexes qui justifiaient ces illogismes. Un même accord peut durer plusieurs mesures : le soliste a alors tout son

temps pour construire son improvisation mélodique,
inventer des formules rythmiques inédites, préparer
l'arrivée de l'accord suivant et enfin concevoir un
climat qui présidera au profil dramatique de
l'ensemble du solo.

«Peace Piece»

La figure fragile de Bill Evans tranche au milieu des
solides carrures du hard bop. C'est pourtant sous les
doigts de ce jeune pianiste blanc que se cristallisent
quelques-unes des plus chaudes préoccupations du
moment. Lorsque, le 15 décembre 1958, il enregistre
Peace Piece, poussant le goût du dépouillement à
l'extrême, deux accords répétés à l'infini vont lui
suffire à improviser seul durant près de sept minutes.
Concentré sur cet événement minimal, il explore la
gamme qui correspond à ces accords, non sans prendre
la liberté de s'aventurer dans des gammes voisines. Il
tire là ses conclusions de l'enseignement de George
Russell. Selon lui, d'autres «modes» que les modes
mineur ou majeur sont à exploiter. L'utilisation de ces
«modes», souvent inspirés des musiques extra-
européennes, se généralisera
dans les années soixante.
D'un côté, le langage
harmonique connaîtra,
avec ce jazz «modal»,
une renaissance
favorisant
l'épanouissement d'un
nouveau lyrisme; de
l'autre, il trouvera sa
propre négation dans
l'explosion
libertaire du
free jazz.

C' est au contact de
George Russell
(en bas à gauche) que
Bill Evans (à droite)
s'initia à l'usage des
modes. Dès sa
composition *Cubana
Be Cubana Bop* pour le
big band de Dizzy
Gillespie, George
Russell avait affirmé
son désir de s'affranchir
des habituelles
progressions
harmoniques.
Tuberculeux, il profita
d'une hospitalisation
pour élaborer son
*Concept lydien
chromatique
d'organisation tonale*,
prélude théorique à
l'avènement du jazz
modal, qu'il mit en
pratique au cours de sa
passionnante carrière
de chef d'orchestre.

"So here we stand, on the edge of Hell, in Harlem, and wonder what we will do, in the face of all that we remember"

Langston

Au début des années soixante, John Coltrane est devenu le nouveau chef de file du jazz moderne. Il fait école auprès de jeunes musiciens noirs en colère qui veulent se réapproprier leur musique, confisquée par la culture dominante blanche. Sur fond de radicalisation du mouvement noir, les musiciens rejettent les critères esthétiques de la société américaine et inventent une «nouvelle chose» qui prend le nom de free jazz.

CHAPITRE III
LA VOIE LIBERTAIRE

Dans l'appartement d'Archie Shepp (à gauche). Charles Mingus (ci-dessous) critiqua violemment le free jazz, moins pour son contenu que pour ses réalisations. Il contribua ainsi à la relance du mouvement dans les années soixante-dix.

Le saxophoniste ténor John Coltrane est un homme calme, réservé, méditatif, entièrement absorbé par sa musique et plus encore par les problèmes philosophiques et mystiques qu'il cherche à résoudre à travers elle. Bien qu'irrité par ses questions incessantes, Miles Davis le fait entrer dans son quintette en 1956. Peut-être a-t-il compris que de ces interrogations allait surgir l'une des plus grandes figures du jazz? En effet, dès ses premiers pas chez Miles et jusqu'à sa mort, John Coltrane ne cessera de questionner son art, de le remettre en cause.

A pas de géant

En 1957, au cours d'un séjour au Five Spot au sein du quartette de Thelonious Monk, John Coltrane s'inspire des étranges accompagnements du pianiste. Ce dernier quittant fréquemment la scène, le saxophoniste en profite pour explorer, au cours de longues improvisations, de nouveaux procédés harmoniques.

En 1958, Coltrane rejoint le nouveau sextette de Miles Davis qui enregistre son chef-d'œuvre, «Kind of Blue», un an plus tard. Le jeu de Coltrane se modifie : il procède désormais par nappes de sons qui ne cesseront de gagner en plénitude. Parallèlement, il mène à terme sa réflexion sur les progressions d'accords, en enregistrant avec son quartette le thème *Giant Steps*, ultime aboutissement du système harmonique be-bop. Désormais il poursuit sa quête en direction du jazz modal. Cependant, même au côté de Miles Davis, il fait de plus en plus figure d'étranger et ses longues envolées solitaires, qui font scandale lors de la tournée européenne de 1960, semblent surgir d'un autre univers.

Dès ses premiers disques (ci-dessus «Blue Train», Blue Note, 1957), John Coltrane cherche à échapper au système harmonique du be-bop. C'est au contact des options modales de Bill Evans et Miles Davis (notamment sur «Kind of Blue», 1959) qu'il entrevoit les solutions qui l'amèneront à constituer en 1961 son fameux quartette avec McCoy Tyner, Jimmy Garrison (page de droite) et Elvin Jones.

L'ascension

Après des essais avec divers musiciens, John Coltrane réunit en 1961 le quartette dont il rêvait depuis quelque temps. Autour du pivot que constitue la robuste contrebasse de Jimmy Garrison, le batteur Elvin Jones développe une polyrythmie qui sous-entend le tempo plus qu'elle ne l'énonce; sur ce tumultueux ressac le piano de McCoy Tyner répète

d'inlassables motifs qui incitent le soliste à la transe. Les incertitudes harmoniques qu'il entretient à dessein invitent John Coltrane à multiplier les propositions mélodiques. Les modes se succèdent, malaxés, triturés, saturés de notes qui se bousculent jusqu'à se chevaucher lorsqu'elles sont émises simultanément par effet «multiphonique». Il arrive même que le tempo disparaisse, dilué dans de longs récitatifs incantatoires tel le dernier mouvement de «Love Supreme». De plus en plus fréquemment, le saxophoniste préfère écarter piano et contrebasse et rester seul face au flux d'énergie que lui transmet Elvin Jones. Quelques-uns des jeunes avant-gardistes du free jazz, qui vénèrent Coltrane, ont été invités à participer à l'enregistrement de l'album «Ascension» et l'un d'eux, Pharoah Sanders, devient son compagnon régulier. Bientôt John Coltrane va se défaire du piano de McCoy Tyner qui fait désormais obstacle à sa quête.

Elvin Jones partira à son tour, n'acceptant pas l'arrivée à ses côtés du batteur Rashied Ali dont il ne partage pas les conceptions free. Ayant atteint les frontières du cri et de la musique, le saxophoniste meurt en juillet 1967, enfin parvenu au terme de sa quête. Mais une multitude de musiciens, toutes tendances confondues, restera longtemps hantée par l'influence écrasante de son œuvre.

Ornette Coleman, un précurseur

Dès la fin des années cinquante, Ornette Coleman a précédé John Coltrane. Ce jeune saxophoniste de la côte Ouest a déjà rejeté l'aspect harmonique de l'héritage de Charlie Parker. Il veut n'en retenir que l'essence. «Jouons la musique et non ses arrière-plans», déclare-t-il. Les aspects techniques sont secondaires; seules comptent à ses yeux l'émotion et l'authenticité de l'expression. Le lyrisme de son jeu mélodique est saisissant et paradoxalement insaisissable.

La «théorie harmolodique» qu'il développera au fil des années échappe à la compréhension des musicologues et relève plus du discours philosophique, voire poétique, que technique. Au-delà de Charlie Parker, son art rappelle l'authenticité des «field hollers» que les observateurs extérieurs ne parvenaient pas à décrire avec la terminologie de la musicologie européenne.

L'album «Om» (1965), avec Pharoah Sanders, a creusé l'écart entre Coltrane et McCoy Tyner (ci-dessous). Dès 1966, au Village Vanguard (page de droite), Alice Coltrane prend le piano et Rashied Ali remplace Elvin Jones.

Les formes qu'il emprunte font encore souvent référence au blues ou aux structures classiques héritées de la comédie musicale, mais son *Blues Connotation* en onze mesures et demie évoque davantage les incertitudes des premiers bluesmen que le blues académique en douze mesures.

De nombreux bopers prendront ombrage de ces idées qui remettent en cause tout leur apprentissage. Le soutien que rencontre cependant Ornette Coleman auprès de John Lewis et de certains musiciens de la West Coast lui permet d'enregistrer ses premiers disques. Ceux-ci ont allure de manifeste : «Something Else!» (quelque chose d'autre!), «Tomorrow Is the Question» (demain est la question), «The Shape of Jazz to Come» (la forme du jazz à venir). Le 21 décembre 1960, il enregistre au sein d'un double quartette. Inédite, la formule fait date; mais avant tout, ce qui marque les esprits, c'est le titre de l'album qui en résulte : «Free Jazz», associé à l'intention de tirer forme et musicalité de ce qui présente l'apparence du chaos.

Le saxophoniste et compositeur Ornette Coleman (ci-dessous) rejette la logique de l'harmonie occidentale. Seuls comptent, à ses yeux, le flux de l'inspiration mélodique vagabonde et la pulsation délivrée de tout souci métrique. Ci-dessus son album «Free-Jazz».

La « nouvelle chose »

Le free jazz qui accapare l'attention à partir de 1960 est-il du jazz? On l'appelle d'abord «new thing» (nouvelle chose). Ce nouveau jazz n'est pas seulement «free» (libre) au sens où l'étaient les premières improvisations totales de Lennie

Tristano ou Jimmy Giuffre. Il prétend s'affranchir des définitions mêmes du jazz et de l'art musical formulées par la critique issue dans sa grande majorité de la culture blanche. «C'est notre musique», proteste en effet l'album «This Is Our Music» d'Ornette Coleman, en écho aux nouveaux penseurs noirs qui contestent aux Blancs le droit de discourir sur une musique qui ne leur appartient pas. Les critères de beauté, de pureté du son, de virtuosité, de clarté du discours musical, de logique de la forme, d'adéquation à un texte préexistant vont passer au second plan. Renouant avec l'étrangeté des premiers chants noirs américains, le free jazz va jusqu'à renoncer aux conventions du jazz, à la régularité rythmique, au swing. Il ne retient que les éléments fondamentaux qui distinguent la musique noire américaine de la musique occidentale : l'énergie, l'investissement du corps, le son brut, l'improvisation, la création en état d'urgence,

Malgré l'élimination du piano, les exposés à l'unisson d'Ornette et de son trompettiste Don Cherry (ci-dessus) renvoient encore au be-pop. Mais leur mise en place a moins pour objet d'entretenir un ensemble parfait, que de créer une relation dynamique et spontanée entre les deux instruments.

autrement dit une «légèreté de l'être» (pour détourner l'expression de Milan Kundera) qui privilégie l'instant, l'immédiat, le provisoire; par extension, le free jazz affiche son intérêt pour les cultures extra-européennes du monde arabe, de l'Orient et bien sûr de l'Afrique.

Le free jazz, miroir du mouvement noir

A l'histoire du free jazz correspond l'histoire du mouvement noir pendant les années soixante : la montée des revendications sous la houlette de l'apôtre de la non-violence, Martin Luther King, mais aussi sous la pression des leaders radicaux; l'explosion en 1964 des ghettos noirs; la radicalisation des luttes menées par le Black Panther Party; la solidarité avec les mouvements de libération du tiers monde; la répression, la marginalisation, l'essoufflement. Dans son engagement politique, le free jazz remet en question l'aspiration de l'art occidental à s'élever au-dessus du monde matériel. A ce titre, il a sa place sur les campus universitaires lors des révoltes de 1968, et passionne une nouvelle critique blanche. Celle-ci reprend à son compte un certain terrorisme intellectuel répandu chez les leaders noirs et se montre aussi intolérante et sectaire que les vieux amateurs de jazz.

Le saxophone ténor, porte-parole de la communauté noire en révolte

John Coltrane exerce alors une fascination unanime sur la jeune génération dont il se sent fort proche. Dès les années trente, personnifié par la figure vigoureuse de Coleman Hawkins, le saxophone ténor avait illustré, plus que tout autre,

•• Nous avons besoin de la musique. Nous n'avons rien d'autre. [...] Quand nous l'avons eue, [...] très vite ça a cessé d'être notre musique. Dès que nous avons une musique, l'homme blanc arrive et l'imite. ••
Cité par Joachim Ernst Berendt, in *Free Jazz/ Black Power*, de Philippe Carles et Jean-Louis Comolli, Galilée 1979

Par leurs costumes africains (à gauche, Pharoah Sanders) et leurs exotismes musicaux, les musiciens noirs rendent hommage à l'Afrique mère.

CITY CAFE
COLORED ENTRANCE

Mouvements noirs

Entre les deux guerres le phénomène des ghettos s'accentue. Dans toutes les villes des Etats-Unis les Noirs se constituent en minorités homogènes, s'appropriant certains quartiers comme Harlem, le Bronx (New York), South Side (Chicago), Watts (Los Angeles). Ces ghettos sont le théâtre de violentes émeutes au cours desquelles la communauté noire prend conscience de sa puissance. Après avoir prôné l'intégration par le travail et la réussite sociale, les leaders noirs entament, dans les années cinquante, une lutte décisive contre la discrimination raciale. En 1955, Martin Luther King connaît ses premiers succès à Montgomery, avec le boycott des autobus pratiquant encore la ségrégation. Dans les années soixante, le combat culturel pour la reconnaissance des valeurs de la société noire et de ses différences s'amplifie. La vieille idée du retour en Afrique connaît alors ses derniers succès (page de gauche).

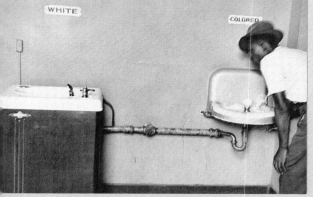

Martin Luther King (ci-dessus avec le président Johnson) remporte un succès historique en 1963, avec la marche non-violente sur Washington qui rassemble 250 000 personnes. Dissident des Black Muslims, Malcolm X (en haut à gauche) oppose à la notion de non-violence celle de contre-violence. Il est le précurseur du concept de «Black Power» (pouvoir noir), diffusé par Stokely Carmichael et radicalisé par le Black Panther Party (ci-contre en manifestation).

l'appropriation des instruments européens par les Noirs américains. Dans les années cinquante, les saxophonistes «hurleurs» du rhythm'n'blues avaient renforcé l'image virile du ténor qui permet l'expression la plus directe, du registre grave volontiers rageur à l'exaspération du suraigu. Au temps du free, trois instrumentistes vont tout particulièrement en tirer le parti que requièrent leurs projets respectifs.

Pharoah Sanders prolonge l'œuvre de John Coltrane auquel il fut associé quelque temps. Tout en développant un discours exacerbé, mystique et incantatoire, il multiplie les références extra-européennes par l'emprunt de formes musicales ou d'instruments exotiques. Archie Shepp se fait historien des musiques noires américaines par ses relectures émotionnelles de John Coltrane, Charlie Parker, Duke Ellington, de la soul music, du blues et du gospel. Albert Ayler ose le cri. Mêlant les comptines les plus naïves aux tissus sonores les plus denses, il situe l'expression au-delà du langage conventionnel et privilégie l'émotion immédiate.

Accessoires et paroxysmes

Rares sont les instruments laissés à l'écart par le free jazz. De nombreux poly-instrumentistes aiment à régénérer leur expression sur des instruments dont ils ne sont pas spécialistes. Ainsi Ornette Coleman utilise le violon et la trompette malgré une technique des plus rudimentaires. Les bruits accidentels et parasites (couacs, sonorités des instruments à vent altérées par l'accumulation de

E trange fureur que celle d'Albert Ayler (ci-contre) : généreuse, chargée de tendresse, porteuse d'un message d'amour et de paix. Nulle ironie dans ces airs de fanfare, ces rengaines de Broadway ou ces airs de rhythm'n'blues qu'il malmène. S'il le fait, c'est au contraire pour secouer et faire tomber conventions et cadres formels qui compriment leur pouvoir émotionnel. D'où cet hyperlyrisme, s'exaspérant lui-même jusqu'à saturation. Tout l'art d'Albert Ayler réside dans cette quête tragique d'une expression mélodique personnelle fondamentale, dépassant les codes du langage commun auxquels il lui faut pourtant revenir pour ne pas sombrer dans une illisibilité équivalant au silence.

De tout temps, on rencontre de nombreux poly-instrumentistes parmi les jazzmen, notamment chez les saxophonistes qui pratiquent souvent plusieurs instruments de la même famille (du saxophone sopranino au saxophone basse), mais également la flûte. Le free jazz systématise ces habitudes. Bien qu'il se situe en marge de la new thing, Roland Kirk (ci-contre) transforme le jeu poly-instrumental en véritables performances. Il se sert simultanément de trois saxophones, chante dans sa flûte et multiplie les bizarreries telles que le «stritch», le «manzello», divers sifflets et sirènes. Ci-dessous : le saxophoniste Archie Shepp.

salive, mouvements incontrôlés des doigts, grincements de l'archet ou du tabouret...) sont intégrés au discours musical tandis que l'on multiplie les accessoires destinés à les provoquer. Les batteurs, tel Sunny Murray, remplacent la notion de pulsation par celle de vibration, de bruissement, de froissement de l'espace sonore.

Posant d'importants jalons pour l'avenir, le free jazz répond aux préoccupations d'une communauté noire en pleine crise et, plus largement, de toute une génération occidentale désespérément cabrée devant la société de consommation.

Cependant, alors qu'éclate la «beatlemania», tout est réuni pour marginaliser définitivement le jazz : les excès dont

s'accompagnent ordinairement les révolutions, les prises de position terroristes, la multiplication des faussaires qui profitent de l'effondrement des codes et de l'égarement du public pour se faire entendre aux côtés des véritables créateurs, la saturation des capacités d'assimilation. Le free jazz tend au cri brut. Il s'enferme bientôt dans la répétition de paroxysmes convenus, les expériences convaincantes perdant, dans bon nombre de cas, tout intérêt au-delà du vécu immédiat et exténuant du concert.

«Meditation For Integration»

«Si tu veux jouer, joue d'un instrument
de Noir. Apprends la basse.» C'est sur ces conseils
que Charles Mingus a renoncé à sa vocation de
violoncelliste classique pour devenir l'un des plus
grands contrebassistes du mouvement bop. Il en a
cependant gardé une immense amertume à laquelle
on attribue les réactions violentes et imprévisibles
qui ont marqué ses nombreuses collaborations.
Revendiquant la truculence du blues et du spiritual,
qui imprègnent la totalité de son œuvre et
nourrissent ses virulentes prises de position
antiracistes, il est resté préoccupé par les structures
savantes qu'il a fréquentées en étudiant le répertoire
romantique ou celui de Béla Bartók.

Cette crise d'identité, il l'a entretenue sur le terrain
de l'esthétique, au contact de Lennie Tristano et de
représentants du Troisième Courant, mouvement qui
cherche alors à concilier les qualités respectives du
jazz et de la musique classique. Au cours des

Deux disques
historiques du free
(ci-dessus). Le piano,
emblématique de
l'Occident, n'eut guère
sa place si ce n'est sous
les doigts de Cecil
Taylor (ci-contre).

années cinquante, il a élargi ses strictes activités d'instrumentiste pour devenir, à la tête de son «Jazz Workshop», l'un des compositeurs et chefs d'orchestre les plus originaux depuis l'avènement de Duke Ellington.

Aussi ne peut-il accepter pleinement la «table rase» prônée par les tenants du free jazz. Pourtant l'art de Mingus se montre lui aussi très novateur : il pratique avec force la «polyphonie spontanée» en alternance avec des contrepoints savants mais toujours terriblement efficaces, joue sans relâche des variations de tempo et des changements de mesure, et sollicite les timbres instrumentaux les plus inouïs.

Précurseur dès 1955, Cecil Taylor (ci-dessous) est devenu une figure classique du free jazz. Au cours de performances quasi sportives, il utilise le piano à la façon d'une percussion, en un flux sonore qu'il parvient à modeler selon des conceptions évoquant certains compositeurs «contemporains».

Formidable «agitateur», il entraîne dans son sillage, dès 1959, le saxophoniste, clarinettiste et flûtiste Eric Dolphy, avant même que celui-ci ne participe au «Free Jazz» historique d'Ornette Coleman. Sans jamais s'identifier totalement aux solutions extrêmes du free jazz, Eric Dolphy impose une conception discontinue de la ligne mélodique, selon de violentes brisures qui n'échappent cependant jamais à son contrôle. Longtemps après sa mort en 1964, Charles Mingus portera le deuil de ce partenaire visionnaire auprès duquel il avait trouvé l'écho instrumental idéal de ses préoccupations de compositeur et d'arrangeur. Celles-ci ne resteront pas lettre morte. A l'aube des années soixante-dix, elles vont gagner le mouvement free et présider à son ressaisissement.

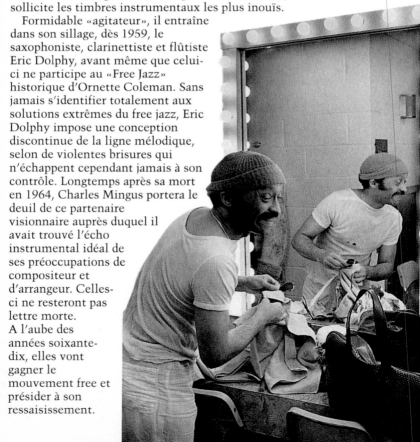

Free jazz : le second souffle

« Oh Yeah», «Ah Um», deux disques classiques de Charles Mingus (ci-contre), aux titres évoquant les interpellations et interjections des assemblées dans les églises noires. C'est sur «Ah Um» que se trouve le fameux *Fables of Faubus* censuré par la Columbia en 1959. Violemment sarcastique, le texte prend à parti le gouverneur Orval Faubus qui s'est opposé en 1957 à l'entrée d'enfants noirs à la Central High School de Little Rock. Le dialogue féroce entre Mingus et son batteur Dannie Richmond est restitué sous le titre *Original Faubus Fables* dans l'album «Mingus» édité par la compagnie Candid. Celle-ci, créée en 1960, défendra l'indépendance des artistes.

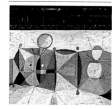

Depuis le double quartette d'Ornette Coleman, de multiples expériences ont tenté d'organiser la liberté conquise ou de faire exploser la puissance de l'improvisation collective au sein de larges formations. Tandis qu'Alan Silva travaille sur la densité des nappes sonores par superposition des initiatives individuelles, Sun Ra renoue avec une certaine tradition d'exotisme et de fantastique associée aux big bands des années trente. Par ailleurs, de nombreux musiciens se rassemblent en associations pour autoproduire et diffuser leurs musiques, réputées peu vendables. L'une d'elles,

E ric Dolphy (ci-contre). Deux disques enregistrés témoignent du talent singulier de ce «passeur» : en 1961, il réunit un quintette au Five Spot, où figurent le trompettiste Booker Little, le pianiste Mal Waldron et la rythmique Richard Davis/Ed Blackwell; en 1964, il réalise pour Blue Note «Out to Lunch» (ci-dessus) avec Freddie Hubbard, Bobby Hutcherson, Richard Davis et Tony Williams. Ci-dessous : le pianiste, arrangeur et chef d'orchestre, Sun Ra.
Page de droite : le contrebassiste de l'Art Ensemble of Chicago, Malachi Favors.

l'AACM (Association for the Advancement of Creative Musicians), contribue à relancer la dynamique du free jazz au moment où le mouvement commence à s'essouffler.

Créée en 1965 à Chicago par Muhal Richard Abrams, leader lui-même d'une grande formation, cette association rassemble quelques-unes des figures de proue du free jazz des années soixante-dix. Pendant que l'Art Ensemble of Chicago joue sur la nuance et l'organisation dramatique de la durée, Anthony Braxton, également membre de l'AACM, se réfère directement à Eric Dolphy, mais aussi aux jazzmen blancs comme Lee Konitz et Paul Desmond, et aux compositeurs classiques du XXe siècle.

Très apprécié du public européen au cours des années soixante-dix, il révèle le talent de nombreux musiciens tels le trombone virtuose George Lewis ou le pianiste Anthony Davis.

La génération des lofts

A la même époque, de nombreux artistes s'installent dans les hangars et les ateliers désaffectés de certains quartiers de New York, pour les transformer en lieux d'habitation, de travail et de diffusion. Dans ces lieux, les musiciens de la «loft generation» peuvent s'exprimer et se produire à l'abri des préoccupations mercantiles des clubs traditionnels, sans se soucier des problèmes de voisinage. Solidaires de leurs aînés du free jazz, ils sont préoccupés par l'isolement du mouvement free et affichent volontiers leur souci de retour à une lisibilité rythmique et mélodique. Ainsi, lorsqu'ils écoutent Albert Ayler, c'est en s'efforçant, comme le fait David Murray, d'en extraire la dimension lyrique.

L'effervescence des lofts, dans tous les domaines artistiques sans discrimination, facilite la cohabitation et les échanges entre héritiers du free et du bop. C'est pourtant dans une tout autre direction qu'Ornette Coleman ouvre alors son univers «harmolodique». Son quartette funk à deux rythmiques puissamment amplifiées fait directement référence à la violence des musiques populaires noires héritées de James Brown.

Le jazz européen se libère du modèle américain

On peut dater les débuts de l'histoire du jazz hors des Etats-Unis avec Django Reinhardt : en effet, c'est à son exemple que le jazz français commença à se distinguer du modèle américain. L'isolement consécutif à la Seconde Guerre mondiale amplifia ce phénomène qui devait prendre fin à la Libération. En 1944, l'Amérique, dont l'Europe était coupée depuis quatre ans, débarquait en libératrice. Les premiers disques be-bop ne tardèrent pas à suivre, et le modèle musical américain réaffirma sa domination. Pendant plus de quinze ans, il n'y eut plus de salut hors de l'orthodoxie be-bop ou néo-orléanaise. Seules de rares exceptions, comme Martial Solal ou André Hodeir, confirmèrent la règle.

Avec l'explosion du free jazz, tout devient possible. Au fil des expériences tous azimuts auxquelles

ANTHONY BRAXTON
COMPOSITION 98

M embre de l'AACM, révélé en Europe lors de son séjour parisien à la fin des années soixante, (affiche ci-contre), Anthony Braxton concilie les acquis du free jazz et un réel souci de la structure. Ses partitions, ses titres de morceau et ses pochettes de disque en témoignent (disque ci-dessus, partition ci-dessous).

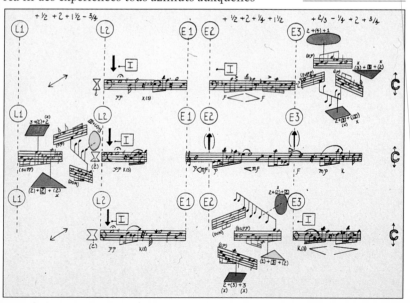

s'adonnent les sensibilités bientôt échauffées par 1968, on prend l'habitude de rejeter les vieux critères du «jazz à papa» en même temps que l'on conspue «l'art bourgeois».

Sur les scènes de France et de l'Europe entière, les sections des rares grandes formations encore en activité quittent la tenue de gala pour le blue-jean et descendent de leurs estrades pour se mêler les unes aux autres en un alignement informel, qui parfois s'ébranle en fanfare vers le public.

Les fonctions à l'intérieur de l'orchestre étant remises en cause, les petites formations vont jusqu'à se passer de rythmique, et réduisent souvent la formule au duo. Si elles répondent ainsi aux

SWING
DJANGO REINHARDT

difficultés économiques que connaissent ces musiques peu commerciales, c'est aussi une façon d'éprouver les affinités particulières au sein d'une dramaturgie plus intime. Avec Mike Westbrook, Willem Breuker ou la Compagnie Lubat, ces «mises en scène» prennent parfois une forme scénique véritable, rejoignant ainsi le «théâtre musical» que la musique contemporaine occidentale explore également à l'époque.

Dans les années trente, suivant le modèle des improvisateurs noirs américains, Django Reinhardt (page de gauche) fit s'épanouir le génie musical du peuple manouche. Trente ans après l'assimilation du be-bop, le jazz européen conquit une autonomie définitive au contact du free jazz. Tandis qu'en Angleterre, le saxophoniste Evan Parker ou le guitariste Derek Bailey s'interdisait «l'appris» et le «déjà joué» pour favoriser «l'invention immédiate» et «l'inédit» aux frontières du bruitage, le Kollektief du Hollandais Willem Breuker (ci-contre) renouait avec les traditions germaniques : fanfares, influence de Kurt Weill, et théâtre musical hérité de Bertold Brecht.

Quête et rejet de la mémoire

Deux types de démarches antinomiques et complémentaires œuvrent au sein de ce que l'on appelle «musiques improvisées européennes» faute d'oser les nommer encore «jazz». Pour quelques-uns, tournant le dos à l'essence même du jazz, il s'agit de traquer les phénomènes de mémoire pour s'en libérer et les expulser du champ d'activité de l'improvisation. Mais que ce soit pour le parodier ou le magnifier, beaucoup d'autres improvisateurs européens se préoccupent de leur patrimoine.

Si les références culturelles sont l'objet d'une dérision dévastatrice chez le batteur Han Bennink et le saxophoniste Peter Brötzmann, elles suscitent les tendres élans de Michel Portal lorsqu'il saisit le bandonéon argentin ou lorsqu'il évoque ses origines basques. Quant aux artistes lyonnais de l'Association pour la Recherche d'un Folklore imaginaire (Arfi), il n'ont pas leur pareil pour réinventer l'art de la comptine.

Réel, imaginaire ou emprunté, le folklore personnel devient dans les années soixante-dix l'un des soucis majeurs des improvisateurs, en Europe et dans le monde entier. Les libres propos du free jazz servent d'outil de reconquête culturelle pour les identités menacées. Dans les sociétés urbaines occidentales privées de racines profondes, l'improvisation permet d'exploiter la multitude des messages musicaux transmis par les médias en provenance des quatre coins du monde et de toutes les époques. Mais le free jazz n'est pas le seul agent d'une telle évolution. D'autres voies s'ouvrent dans les années soixante en marge des musiques libertaires.

Après s'être fait connaître dans le sillage d'Ornette Coleman sur le fameux «Complete Communion» de Don Cherry, le saxophoniste argentin Gato Barbieri (ci-dessous) prit un tournant décisif en 1968, au contact du pianiste sud-africain Dollar Brand («Hamba Khale»). Il découvrit alors la nécessité de donner la parole au tiers monde. Marqué par son enfance au contact des populations xhosa (Afrique du Sud), le pianiste et chef d'orchestre Chris McGregor (à droite) fuira l'apartheid en 1964 avec les Blue Notes, sextette multiracial. En Europe il créera le Brotherhood of Breath (la Confrérie du souffle).

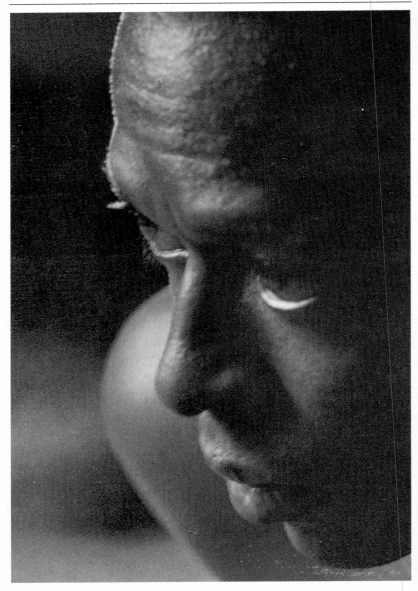

Dès les années soixante, ce que les hérauts du free jazz rejettent, d'autres musiciens préfèrent l'assimiler et en acquérir le contrôle. Loin d'envisager la technique comme un obstacle à l'émotion, ils voient en elle le moyen d'investir des univers proches de leur sensibilité. Ainsi le jazz élargit son paysage aux influences qu'il rencontre à travers le monde : rock, musique classique, musiques traditionnelles.

CHAPITRE IV
LA VOIE RÉFORMISTE

Miles Davis photographié pour la pochette de «Nefertiti» : une autre conception de la liberté que résume fort bien le titre de l'album de Joe Henderson «In'n out».

Il est des hommes qui font l'Histoire. Il en est d'autres qui s'inventent une histoire personnelle. Ne sachant qu'en faire, les théoriciens du jazz ont souvent négligé, consciemment ou non, ceux qui, venus du swing, firent bande à part, en marge de l'évolution bop (Nat King Cole, Erroll Garner), ou en marge des modernes, souvent eux-mêmes plus modernes encore (Herbie Nichols, Paul Gonsalves). D'autres connurent le même sort pour avoir cheminé à leur rythme à bonne distance des remous collectifs du free (Martial Solal, Sonny Rollins) ou s'être arrêtés définitivement dans la clairière qu'ils avaient trouvée pour l'explorer sans relâche (Oscar Peterson, George Shearing).

En marge du free

Dans sa hâte d'expliquer l'Histoire, la critique s'est souvent trompée en voyant dans l'explosion du free jazz et la suprématie de l'impro-visation sur l'écriture le seul fait significatif des années soixante. Dès cette époque, l'histoire du jazz ne marche plus en sens unique, et de nombreuses tendances se manifestent en marge du discours free. Outre Charles Mingus et Eric Dolphy, toute une

Quelqu'un demanda un jour à Duke Ellington ce qu'il pensait de l'avant-garde. Il répondit simplement : «Pour l'avant-garde, j'ai Paul Gonsalves.» David Murray, qui rapporte cette citation, ajoute : « Si l'on veut parler de lyrisme, la référence c'est bien Paul Gonsalves.» Ce dernier (à gauche) n'occupe pourtant qu'une toute petite place dans les histoires du jazz. Il s'est contenté de tenir son pupitre dans l'orchestre d'Ellington, à l'écart des grands courants. De même, derrière les belles pochettes de Blue Note et Candid des années soixante (à droite), se cachent des musiques sans étiquette qui échappent souvent au regard des historiens, accaparés par les chefs de file du free jazz. Ainsi, aujourd'hui, c'est du côté de musiciens marginaux, comme Joe Henderson (à droite) ou Jackie McLean, que les saxophonistes vont chercher l'inspiration pour échapper à l'influence uniforme exercée par Michael Brecker et David Sanborn.

mouvance, en partie regroupée sur les catalogues Blue Note et Candid, s'affiche hors de tout sectarisme, sous l'influence simultanée de Horace Silver, John Coltrane, Miles Davis et Ornette Coleman. L'avancée du langage musical reste d'actualité pour ce qui est de l'autonomie de l'improvisateur et de l'émancipation de la rythmique. Les acteurs de la «new thing», engagés dans un combat politique, envisagent la problématique de leur héritage culturel sur un fond de refus ou de radicalisation, de négation ou de fondamentalisme. Mais à l'inverse, bon nombre de leurs contemporains revendiquent la liberté en terme de contrôle, de maîtrise et d'assimilation de l'environnement culturel, celui-ci étant accepté dans son intégralité, de la musique classique au free jazz.

Un « pianiste de bar »

C'est ainsi qu'on qualifiait Bill Evans au moment de l'explosion du free jazz. Par la suite on réalisa qu'en toute discrétion, sans être à la tête d'aucun courant particulier, il avait conduit une révolution tout aussi

Né en 1929, le jeune Bill Evans (en bas à gauche) apprend d'abord le violon. Très vite mis en contact avec la culture européenne par sa mère d'origine russe, il opte pour le piano, qu'il va étudier à La Nouvelle-Orléans. En 1954 à Chicago, il se perfectionne en harmonie et en composition. En 1956, il enregistre «New Jazz Conceptions», suivi de «Everybody Digs Bill Evans». Sa carrière en trio connaîtra un premier sommet avec les enregistrements publics du Village Vanguard en 1961.Il dirigera aussi de petites formations comme dans «Interplay» (1962).

profonde que celle de John Coltrane ou d'Ornette
Coleman. Sans jamais systématiser les apports du
jazz modal dont il est l'un des principaux fondateurs,
il s'en inspire largement. Son œuvre de compositeur
emprunte certes aux charmes des vieux standards
qu'il affectionne; mais le traitement qu'il leur fait
subir allège le support harmonique souvent
contraignant, et ouvre le champ des possibilités
mélodiques.

Bien plus, grâce à la qualité de son toucher, il
inaugure une approche nouvelle du piano jazz,
jusque-là principalement percussif. Plutôt qu'un
pianiste de bar, Bill Evans est un pianiste concertiste.
La formule orchestrale qu'il privilégie est le trio
(piano, contrebasse, batterie) qu'il utilise comme un
orchestre de chambre. Avec Scott LaFaro et Paul
Motian, de 1960 à 1961, la contrebasse et la batterie
se libèrent de leur rôle de simples accompagnatrices.
Devenues solistes à l'égal du piano, elles participent
à une conversation triangulaire. Collective et
interactive, l'improvisation devient plus que jamais
affaire d'écoute réciproque et d'espace où chacun doit
trouver sa place tout en ménageant celle de l'autre.
La révolution que John Coltrane mène de son côté
avec Elvin Jones dans le bruit et la fureur, Bill
Evans la conduit jusque dans ses derniers trios avec
une grande délicatesse qui évoque l'univers intimiste
de Claude Debussy.

Ainsi, en dehors des contemporains qui, tel le
guitariste Jim Hall, partagèrent ses préoccupations,
Bill Evans a marqué des générations de musiciens.
Des pianistes, bien sûr, comme Keith Jarrett, Paul
Bley et Chick Corea, mais aussi des batteurs tel Jack
DeJohnette, des bassistes tel Gary Peacock, des
guitaristes comme Pat Metheny, des vibraphonistes
comme Gary Burton, jusqu'à des saxophonistes, des
trompettistes, et des chefs d'orchestre.

E ntre 1965 et 1968,
trois années de
créativité intense
s'écoulèrent pour Miles
Davis. Elles furent
ponctuées par les
pochettes (ci-dessus) où
figurent ses épouses
successives : la
danseuse Frances
Taylor («E.S.P.», 1965)
l'actrice Cicely Tyson
(«Sorcerer», 1967) la
chanteuse Betty
Marbry («Filles de
Kilimanjaro», 1968).

« Miles Smiles »

Tout au long des années soixante, Miles Davis reste
hanté par le passage dans son orchestre de Bill Evans
et John Coltrane. Par deux fois il remplacera avec
bonheur le pianiste par Wynton Kelly, puis par Herbie

Hancock, qui combine les délicatesses de Bill Evans et les propos plus vigoureux des pianistes funky. En revanche, il mettra plusieurs années avant de trouver, en la personne de Wayne Shorter, le remplaçant idéal de John Coltrane.

Une nouvelle ère s'ouvre alors pour Miles Davis, jalonnée d'enregistrements considérés aujourd'hui comme des chefs-d'œuvre du jazz moderne en petite formation. «E.S.P.», «Miles Smiles», «Nefertiti», «Miles in the Sky», entre autres, dressent ainsi, d'année en année, l'état des recherches menées à terme par le quintette. L'ensemble de Miles Davis est alors un groupe vraiment expérimental, pour lequel chaque entrée en studio constitue une nouvelle étape.

La section rythmique exploite à sa façon l'héritage du trio de Bill Evans : Herbie Hancock suggère ; Ron Carter n'énonce plus systématiquement le tempo mais impose un puissant sentiment de pulsation ; Tony Williams s'émancipe du rôle d'accompagnateur tout en ménageant l'espace nécessaire à la multiplication des initiatives. Il développe la polyrythmie ternaire d'Elvin Jones, l'aère et la diversifie en superposant d

figures conçues selon un découpage binaire.
Séance après séance, le quintette explore un
répertoire tributaire des conceptions novatrices de
Wayne Shorter. Ce dernier montre une formidable
aptitude à faire oublier les schémas harmoniques,
sans jamais les perdre de vue. A son contact, Miles
Davis élargit encore les libertés autorisées par la
pensée modale. Sur scène, il s'en tient à un
programme plus conventionnel, mais les risques pris
en studio ne sont pas sans infléchir les interprétations
publiques de l'orchestre.

Comme les innovations de Charlie Parker vingt ans
plus tôt, ces transgressions deviendront, au fil des ans,
les conventions obligées du jazz en petite formation.

L'explosion du rock

A la fin des années soixante, fort des expériences
menées avec son quintette, Miles Davis est mûr pour
se porter au-devant du «rock» et de son immense
public, car c'est désormais dans cette musique que
se reconnaît la jeunesse occidentale.

Fusion du «country», issu des campagnes
américaines,   et du rock'n'roll noir

L es Beatles (ci-
dessus), ont eu une
influence considérable
sur la musique des
années soixante, avec
une nouvelle façon de
penser le groupe, le
travail du son et la
production de disques.

dérivé du boogie, le rock fut créé par des artistes blancs au milieu des années cinquante. Dix ans plus tard, il assimile progressivement l'efficacité des sections rythmiques du rhythm'n'blues et profite de la relève des compositeurs de la soul music et des variétés américaines. Parallèlement il s'appuie sur les nouvelles méthodes d'enregistrement et de production, qu'il contribue largement à promouvoir, et tire parti du potentiel de la lutherie électrifiée, apparue avec le blues urbain.

La notion de performance instrumentale prend une importance croissante dans le rock, avec l'apparition des «guitar heroes», mais aussi avec la transformation des formes musicales. Les «rockers», au cours de la seconde moitié des années soixante, investissent des domaines réservés jusque-là aux musiques plus savantes, comme la musique classique, le jazz et certaines traditions extra-européennes. Le rock peut, dès lors, jouer sur la durée pour installer des climats sonores psychédéliques, devant les assemblées des grands festivals.

L es grands rassemblements musicaux qui se multiplient après Woodstock profiteront aux jazzmen qui inventent le jazz rock.

Au temps des hippies

En Angleterre, la frontière entre jazz et rock est mince : elle passe par le rhythm'n'blues et le blues revival. Futurs jazzmen et rock stars se forment dans les groupes d'Alexis Korner ou Graham Bond. «Progressive rock» et   jazz d'avant-garde

se côtoient à la fin de la décennie, autour de groupes comme Soft Machine qui marqueront des générations entières de musiciens et d'auditeurs européens.

Alors qu'aux Etats-Unis, les sections de cuivres du rhythm'n'blues réintègrent des groupes de rock blancs comme Chicago et Blood, Sweat and Tears, de nombreux jazzmen se sentent concernés par la montée du rock.

Charles Lloyd, accompagné par Keith Jarrett, triomphe devant le public hippie en accommodant à la sauce coltranienne, sur fond de light show, l'ingénuité mélodique du «folk revival» et le répertoire des Beatles. Chez Cannonball Adderley, dans un contexte plus orienté vers les racines noires du rhythm'n'blues, Josef Zawinul expérimente le piano électrique inventé par Harold Rhodes et Leo Fender.

Jimi Hendrix (ci-dessus) et Sly Stone (ci-dessous) : à travers eux, Miles découvre de nouvelles sonorités, une nouvelle efficacité rythmique.

Miles branche sa trompette

Miles Davis est alors exaspéré par l'élitisme dissuasif du free jazz, et par le rock qui, selon lui, a détourné et édulcoré le rhythm'n'blues au profit des Blancs. Le trompettiste prête alors toute son attention à la musique populaire noire, et particulièrement au funk de Sly and the Family Stone. Sly Stone pratique une esthétique violente et directe, héritée de James Brown, à l'opposé de la soul music sophistiquée qui connaît déjà un grand succès sur le catalogue Motown.

En 1968, Miles rencontre Jimi Hendrix, le principal héros noir de la guitare rock. Hendrix a su adapter la force d'expression du blues à l'univers pop. A son écoute, Miles Davis comprend que la guitare, jusque-là marginalisée, est désormais destinée à prendre l'initiative dans l'évolution du jazz. En effet, à l'instar de la guitare, les claviers, la basse et même les instruments à vent commencent à s'électrifier. Dès lors, le son de l'orchestre monte et de nouvelles sonorités apparaissent.

En 1969, Miles multiplie les expériences et laisse prévoir un tournant définitif. Il fait alors venir un jeune guitariste de la scène anglaise, John McLaughlin, et enregistre «In a Silent Way». Désormais, l'électronique fait partie de son univers.

Limitant l'écriture à quelques mesures indicatives, reliant sa trompette à une pédale «wha wha», Miles déclenche de véritables débauches électroniques dans les disques qui vont suivre. Viennent s'y mêler guitare électrique, guitare basse, claviers divers, percussions du monde entier et les martèlements binaires hérités du rock chez Tony Williams.

Le jazz rock des enfants de Miles

Les nombreux musiciens qui font momentanément partie de l'orchestre de Miles tentent de conserver le public acquis à son contact et de prolonger l'expérience musicale qu'ils ont vécue. Transposant l'énergie du rock dans leurs orchestres, ils mettent leur savoir-faire de jazzmen au service d'une musique spectaculaire : le jazz rock. Ainsi, John McLaughlin

«Bitches Brew», enregistré par Miles en août 1969, confirme le tournant pris quelques mois auparavant avec «In a Silent Way». Dès lors, il joue, des heures durant, de longues suites qui font l'objet de montages en studio pour être publiées sur disques. Il conquiert le public hippie des grands festivals où il se produit sur la même scène que les stars de la «pop music». Il considère cependant avec un mépris certain leurs moyens techniques limités. A l'inverse, un nombre croissant de jazzmen blancs sont touchés par ces musiques. Ainsi, dès le milieu des années soixante, Gary Burton et son contrebassiste Steve Swallow ont puisé dans leurs racines country et interprètent les premières œuvres de «folk rock» de Bob Dylan. De son côté, leur guitariste, Larry Coryell, explorait les effets de saturation et de «larsen» (sifflements) obtenus par les rockers avec leurs puissants amplificateurs.

En s'ouvrant au jazz rock, les festivals de jazz ont changé de «look». Sur scène, les accessoires électroniques se multiplient et les batteries s'hypertrophient pour répondre à des prestations de plus en plus spectaculaires, tant sur le plan de la technique instrumentale que sur celui de la présence scénique. Herbie Hancock (ci-contre). Alphonse Mouzon (ci-dessous).

rencontre le succès dès 1971 avec son Mahavishnu Orchestra. Au souci de la performance technique qui enthousiasme le public rock, il associe une écriture virtuose et les incantations héritées de John Coltrane. Mystique comme ce dernier, et fasciné par l'Inde, il combine la sophistication métrique et modale de la musique indienne à l'efficacité rythmique et harmonique du rhythm'n'blues. Le pianiste Jan Hammer explore en pionnier les possibilités de phrasé offertes par les premiers claviers électroniques. Le violoniste Jerry Goodman attire l'attention d'un public peu sensible aux charmes de Stéphane Grappelli, et ignorant encore de l'œuvre de Jean-Luc Ponty. Le batteur Billy Cobham fait preuve d'une technicité fascinante sur les mesures impaires.

Par leur puissance, leur rapidité d'exécution et l'impressionnant matériel dont ils s'entourent, les batteurs déchaînent les passions. Leaders eux-mêmes comme Tony Williams ou Billy

Cobham, ils éclipsent souvent la renommée de leur entourage, tel Alphonse Mouzon au sein de l'Eleventh House de Larry Coryell.

Ce n'est cependant pas le cas du batteur Lenny White au sein du groupe de Chick Corea, Return to Forever. A ses côtés, Stanley Clarke s'impose en effet comme le premier grand soliste de la basse électrique. Quant au leader, ancien compagnon des premières expériences électriques de Miles Davis, il séduit par sa virtuosité sur les claviers et son écriture brillante. Virant à l'espagnolade avec l'arrivée du guitariste Al Di Meola, les fortes réminiscences latines de son répertoire ravissent le public des grands festivals.

Egalement issu de l'univers de Miles Davis, Herbie Hancock rassemble une formation plus profondément ancrée dans la tradition populaire noire américaine. S'appuyant sur la frappe profonde du batteur Harvey Mason, il radicalise les orientations funk de son ancien leader. Plus accessible au grand public, sa musique connaît un énorme succès avec l'album qui emprunte son titre au nom du groupe : «Headhunters».

Weather Report rechercha longtemps une rythmique aussi efficace sur les terrains binaires que ternaires; les prestations du batteur devinrent particulièrement épuisantes. Il fallut même en engager deux pour l'une des tournées. Le groupe connut probablement un état de grâce sur le plan rythmique avec l'arrivée du batteur de big band Peter Erskine auprès de Jaco Pastorius (ci-dessus, à droite; à gauche, le saxophoniste et compositeur Wayne Shorter). Pastorius faisait alors fureur par son utilisation de la guitare basse fretless (sans frettes) et par sa présence scénique.

Comme Chick Corea, qui balance désormais entre musique acoustique et électrique, Hancock ne cesse d'alterner incursions à succès dans l'«électro-funk» populaire et retours à des formules proches de l'esprit du quintette de Miles des années soixante.

Bulletin météo et impressions de voyage

Ce sont encore d'anciens compagnons de Miles qui constituent le noyau du groupe le moins éphémère de ce courant : Weather Report – littéralement, «bulletin météo». Fin 1970, Wayne Shorter, Joe Zawinul et le contrebassiste Miroslav Vitous invitent le batteur Alphonse Mouzon et le percussionniste Airto Moreira à créer des climats d'une diversité toute météorologique. Faisant une large place aux impressions de voyage, leur répertoire est souvent construit comme un «programme», un peu à la manière des poèmes symphoniques composés par les musiciens classiques européens du siècle dernier. La musique de Weather Report s'oriente ensuite vers une «fusion» d'influences toujours plus diverses où la scansion binaire du rock et des musiques tropicales

C'est avec son quatrième album, «Mysterious Traveller» (1973), que Weather Report conquiert le grand public et obtient en même temps le soutien total de la Columbia.
Ses ambitions commerciales ne cessent alors de s'affirmer jusqu'à «Black Market» (1976), où culmine l'influence des musiques africaines et brésiliennes. C'est sur l'album suivant, «Heavy Weather», que se trouve le fameux titre *Birdland*. «Night Passage» consacre, en 1980, l'apothéose du tandem Pastorius/Erskine. Porté par une nouvelle section rythmique (Victor Bailey, Omar Hakim), l'avant-dernier album, «Sportin' Life», sera un chef-d'œuvre de la technologie digitale des années quatre-vingt.

prend de plus en plus d'importance. En 1974, Vitous cède la place au bassiste électrique Alphonso Johnson tandis que Joe Zawinul explore le pouvoir d'évocation des synthétiseurs. Mais le groupe ne connaîtra la consécration populaire qu'avec l'arrivée de Jaco Pastorius, le plus original des virtuoses de la basse électrique, jusqu'à sa mort en 1987. Les disques «Black Market» (1976), où il apparaît déjà, et «Heavy Weather» (1977) comptent parmi les plus belles réussites du genre. Sur ce dernier album, le titre *Birdland*, qui renoue avec la tradition d'«entertainment» des big bands des années trente et constitue un hommage non dissimulé au jazz dans toute son histoire, est un formidable succès. Pourtant, en dépit de la fidélité d'un large public, et de l'excellent tandem rythmique que forme Pastorius avec le batteur Peter Erskine, les dissensions entre Shorter et Zawinul provoquent la dissolution de Weather Report en 1985, quinze ans après sa création.

Fusion dans les studios

Peu à peu, le goût des métissages musicaux gagne les studios de variétés. Les musiciens rompus au vocabulaire du jazz moderne et du rhythm'n'blues y sont fort appréciés, et l'on y préfère le terme de «fusion» à celui de jazz rock jugé trop restrictif. Le tandem des frères Brecker fait fureur. Forts de leur expérience

Les frères Michael et Randy Brecker (ci-dessous) furent longtemps associés à des expériences de groupes : tout d'abord Dreams, avec John Abercrombie et Billy Cobham, puis les Brecker Brothers. En 1979, une jam session dans leur club, le Seventh Avenue South, est à l'origine du groupe Steps, qui devient bientôt Steps Ahead. Outre Michael, il comprend le vibraphoniste Mike Mainieri, le pianiste Don Grolnick, le contrebassiste Eddie Gomez et le batteur Steve Gadd. En 1987, après des centaines de participations discographiques, Michael enregistre enfin sous son nom, tandis que Randy forme son propre quintette. L'altiste David Sanborn (à droite) est de la même génération. Il se produit d'ailleurs avec les Brecker Brothers en 1975, avant de réunir ses propres formations, tout en continuant à collaborer avec les musiciens les plus représentatifs de la musique de «fusion», comme les guitaristes John Scofield, Mike Stern ou Hiram Bullock.

auprès de John Abercrombie et Billy Cobham, au sein du groupe Dreams, ils sont capables d'adapter à tous les contextes ce qu'ils ont retenu de l'héritage coltranien, jonglant avec les phrasés ternaires et binaires en toute décontraction. Randy, le trompettiste, et surtout Michael, le saxophoniste, deviendront, pour les instrumentistes des générations suivantes, des références incontournables, tant pour leur contribution aux sections de cuivres des studios de variétés, que pour leur œuvre d'improvisateur. L'altiste David Sanborn, également très sollicité dans les studios, pratique une fusion tout aussi réjouissante, portant à la fois les stigmates de sa fréquentation de Stevie Wonder et l'empreinte de l'orchestre de Gil Evans qui l'accueillit un temps.

Un certain besoin d'espace

S'il continue de satisfaire le public jeune jusque dans les années quatre-vingt, et en dépit d'indéniables réussites, le jazz rock lasse les amateurs, la presse et même les musiciens. A la fin des années soixante-dix, John McLaughlin et quelques autres reviennent aux vertus de la guitare acoustique. Les «plans», autrement dit les clichés instrumentaux, et la virtuosité un peu vaine des guitaristes de jazz rock sont tout particulièrement en cause. La réaction viendra des musiciens eux-mêmes. Une sonorité plus aérée, un discours mélodique plus limpide, un contexte orchestral moins pesant, telles sont les qualités qu'ils recherchent en écoutant leurs aînés : Wes Montgomery, Jim Hall, et Bill Evans. Mais ils veulent y mêler leur propre culture, les belles mélodies

des pop songs et de la country music. L'espace
nécessaire à leurs aspirations, les guitaristes John
Abercrombie et Pat Metheny vont le trouver chez
ECM.

L'esthétique ECM

«Editions of Contemporary Music» : toute la crise
d'identité du jazz à partir des années soixante-dix
tient dans ce label qui n'ose pas nommer la musique
qu'il accueille. Manfred Eicher traverse pourtant cette
crise assez sereinement. Cet ancien contrebassiste
allemand de formation classique fonde ECM en 1969.
Il se signale d'abord en cherchant une façon de
prendre le son qui tend plutôt à reproduire

A près avoir joué
dans le brouhaha
des clubs de jazz, Keith
Jarrett (ci-dessous)
impose le silence
autour de lui : il
incarne le jazzman
devenu concertiste.
Le succès populaire
de son «Köln Concert»
(1975) n'est pas
étranger à la vogue
du piano solo qui
profita à Chick Corea,
Herbie Hancock et
Paul Bley.

l'acoustique d'une salle de concert que celle d'un petit club enfumé. La spatialisation du son (précision de l'image stéréo, reconstitution de l'écho) et le rendu cristallin d'instruments comme le piano, le vibraphone, les guitares électriques ou acoustiques déroutent les vieux discophiles, mais répondent à l'attente d'un public jeune, soucieux d'un certain confort d'écoute.

Ces nouvelles générations, déçues par l'effondrement des idéologies révolutionnaires et l'épuisement des avant-gardes, se sont tournées vers la défense de l'écologie et le néo-classicisme. ECM et les nombreux catalogues qui lui emboîtent le pas proposent une nouvelle «écologie» de

K eith Jarrett dirige deux quartettes, l'un américain (Dewey Redman, Charlie Haden, Paul Motian), l'autre européen (Jan Garbarek, Palle Danielsson, Jon Christensen), facettes complémentaires d'une même musique marquée par Bach, Scott Joplin, Bud Powell, Bill Evans, Ornette Coleman et le pop song.

l'enregistrement et du concert. Le retour au piano
acoustique sera magnifié par la formule du solo,
jusque-là encore assez exceptionnelle dans le jazz
moderne. Ceux de Keith Jarrett ou Paul Bley, ainsi
que les duos de Chick Corea avec Herbie Hancock
ou Gary Burton, affichent le jazz comme musique
de chambre. Le jazzman devient alors concertiste,
et le concert de jazz bénéficie de l'écoute recueillie
d'un récital de musique classique.

Une culture encyclopédique

Au cours des années soixante-dix, le jazz entre dans
une phase néo-classique. De Martial Solal à Archie
Shepp, la «relecture» du répertoire d'hier est devenue

«Gateway» de John
Abercrombie (en
bas à gauche) rompt en
1975 avec l'influence
du jazz rock de John
McLaughlin.
L'accumulation des
phrases virtuoses fait
place à une conception
plus aérienne des
formes, de
l'articulation et de la
sonorité. De nombreux
artistes vont satisfaire
ce besoin d'espace
auprès du producteur
Manfred Eicher. Le
saxophoniste Jan
Garbarek (en bas, à
droite) enveloppe sa
sonorité poignante d'un
halo de réverbération,
fort décrié par la
critique spécialisée.
Il contribue cependant
à renouveler le
saxophone en le
mettant au service de
folklores imaginaires
tout à fait personnels.
Sur les miroirs sonores
offerts par les chambres
d'écho et la technique
du re-recording, John
Surman (en haut, à
droite, dans une
ambiance «musique de
chambre» typique de
l'esprit ECM) multiplie
ses volutes inspirées de
la tradition celtique.

E vocatrices des espaces de l'Europe du Nord, d'une certaine qualité de la lumière et de l'air qui les traversent, les pochettes ECM reflètent une «écologie nouvelle de la prise de son».

monnaie courante. Dans le même temps, avec Lee Konitz, Dexter Gordon ou Art Pepper, le jeune public redécouvre les figures mises sur la touche par la montée du free. Les références à la musique classique, de plus en plus nombreuses, cessent de porter exclusivement sur les avant-gardistes du XXᵉ siècle. Ravel, Debussy, ainsi que les compositeurs romantiques sont abondamment sollicités. De manière générale, aux Etats-Unis comme dans le reste du monde, les jeunes musiciens se réclament maintenant d'une culture encyclopédique, où le classique, le rock et les musiques extra-européennes se côtoient. Qu'en est-il donc du jazz? Ils en retiennent une formidable aptitude à l'absorption, à l'appropriation d'éléments extérieurs, empruntant aussi bien aux standards de la comédie musicale qu'aux multiples traditions folkloriques.

Né avec le siècle, le jazz est à l'heure des bilans : mode rétro, néo-bop, free jazz revival… Est-ce le symptôme d'un art à bout de souffle ou le signe d'une tradition en pleine expansion ? Cette question passe sous silence une autre réalité : dans le monde entier, des musiques hors courant et sans chef de file s'inspirent de l'exemple du jazz et constituent le concerto grosso du siècle qui s'achève.

CHAPITRE V

LE JAZZ VOLE EN ÉCLATS

L a figure radieuse de Gil Evans (à gauche, peu avant sa mort) laisse espérer un autre avenir au jazz que celui de simple support publicitaire (à gauche, concert Yves Saint Laurent).

Découvert au sein de l'orchestre d'Art Blakey en 1980, le jeune Wynton Marsalis semble avoir volé sa fabuleuse virtuosité à Clifford Brown. Imitation servile, clonage, prouesse technique sans profondeur ? Au fil des années, le trompettiste s'impose grâce à une synthèse authentique du hard bop, tel qu'il avait fécondé l'art de Miles dans les années soixante (on parle alors de néo-bop). De proche en proche, il remonte jusqu'aux racines de La Nouvelle-Orléans dont il est originaire (voir l'album ci-dessus, «The Majesty of the Blues»). Depuis, on a fait connaissance avec son frère Branford (ci-contre avec Wynton) et avec toute une génération de musiciens au profil comparable : des trompettistes (Terence Blanchard), des pianistes (Marcus Roberts), des bassistes (Robert Hurst), des batteurs (Jeff Watts)…

Le jazz est à la mode : des écoles, où on l'enseigne, au Zénith, où Miles Davis triomphe. Le rock et la chanson lui empruntent ses allures, ses tournures harmoniques, ses solistes, l'imagerie du blues, les cuivres. L'industrie du cinéma exploite le stéréotype du jazzman génial et déchu. Dans le domaine de la couture ou de la publicité, c'est au travers d'évocations en noir et blanc de la prohibition et de l'Amérique des années trente qu'il est sollicité. Autrement dit, c'est l'image et la légende du jazz qui fonctionnent, alors même que les musiques improvisées issues du jazz tendent à s'en détacher.

Rééditions historiques et néo-bop occupent le marché du disque

Musique désormais reconnue, le jazz figure en bonne place sur les rayons des mélomanes, aux côtés des grandes œuvres classiques.

A partir de 1983, la commercialisation du disque compact est l'occasion de rééditer à moindres frais le patrimoine enregistré du jazz, sous forme d'anthologies ou d'intégrales qui envahissent les bacs des disquaires. La nouveauté ne parvient à s'y imposer qu'au travers du néo-bop et des productions commerciales.

Avec pour vedettes les frères Branford et Wynton Marsalis, le néo-bop est défendu par une élite de jeunes musiciens formés au sein des Jazz Messengers d'Art Blakey. Héritiers du hard bop qu'ils réactualisent plus ou moins à l'écoute du quintette de Miles Davis des années soixante, ils sont régulièrement accusés de n'être que copies conformes des modèles antérieurs. Leur technique époustouflante et la perfection de leurs prestations les priveraient même, selon certains, de la part de risque qui faisait l'intérêt de leurs prédécesseurs. Ces observations peu nuancées

À son retour en 1981, après six ans de retraite, Miles n'est plus seulement un grand trompettiste, mais l'un des hommes les plus élégants du monde, symbole d'un jazz à la mode. Il est à l'écoute des «pop charts» (succès pop) qu'il fréquente (Toto, Cameo) et dont il emprunte le répertoire (Cindy Lauper, Scritti Politi). Avec «Tutu», il quitte la Columbia pour la Warner en 1987, recherchant l'efficacité des récentes productions du funk. Ce tournant s'accentue encore en 1991 avec l'adoption de thèmes de Prince et l'emploi de Flavor Flav, le «rapeur» de Public Enemy.

L e jazz noir change de visage dans les années quatre-vingt. Les femmes n'y sont non plus seulement chanteuses (la batteuse Terri Lyne Carrington, les pianistes Michele Rosewoman et, ci-contre, Geri Allen). L'enseignement (dont le rôle a toujours été bien plus décisif qu'on ne l'a dit) prend de l'importance. Cependant, à l'écart de tout sectarisme, la tradition et l'écoute des anciens restent prioritaires pour la nouvelle vague, particulièrement soucieuse de son patrimoine. Ainsi, héritière à sa façon de Bill Evans, auprès de Paul Motian, Geri Allen n'a pas manqué d'interroger les racines de son peuple à la lumière du funk.

négligent l'importance de l'élément traditionnel dans la musique noire américaine. Et, malgré son évolution fulgurante en quelques décennies, le jazz a toujours compté plus de suiveurs que d'innovateurs. La vénération portée aux «petits maîtres», qui personnalisèrent le message de Charlie Parker au cours des années cinquante, n'est pas si éloignée de l'admiration suscitée trente ans plus tard par les néo-bopers new-yorkais.

De l'église à la rue

Le jazz noir américain cherche à maintenir son ancrage dans la réalité sociologique dont il est issu : c'est le sens du disque de Quincy Jones, «Back on the Block», paru en 1990. Dressant un véritable bilan de cette fin de siècle, l'ancien arrangeur de Count Basie, devenu producteur de Michael Jackson, a rassemblé quelques grands noms de la musique noire américaine, de Ray Charles à Miles Davis, en passant par Ella Fitzgerald et Dizzy Gillespie. Soul music et rap y accueillent le jazz comme pour lui rappeler qu'ils ont grandi ensemble à l'école des églises noires et de la rue.

Des délicatesses néo-classiques de la pianiste Geri Allen aux fanfares du Brass Fantasy de Lester Bowie (le trompettiste de l'Art Ensemble of Chicago), en passant par les saxophonistes Kenny Garrett (formé comme Geri Allen à Detroit au contact du trompettiste Marcus Belgrave) ou Gary Thomas (révélé chez Jack DeJohnette et Miles Davis) : partout on retrouve le même souci des racines, la même attention aux derniers développements du funk, et une ouverture d'esprit

Trop «clean» (propre), la sonorité des saxophonistes blancs héritiers de Michael Brecker (Bob Berg, Bob Mintzer) ? Ne faut-il pas plutôt mettre en cause un certain type de production, trop soucieuse de perfection technique et génératrice d'une certaine froideur ? David Liebman (ci-contre) échappe à ces critiques par son originalité et sa générosité musicale.

qui confirme les options de la loft generation.

Qu'y a-t-il donc de commun entre la respectabilité recherchée par Wynton Marsalis dans son costume trois pièces, les obscénités proférées par le groupe funk 2 Live Crew et le jazz issu de la loft generation mêlant les acquis du free aux certitudes du bop ?

Tous appartiennent à cette même communauté noire qui réagit de diverses manières aux difficultés accumulées durant la crise économique des années quatre-vingt, à la marginalisation des plus défavorisés et à la montée des minorités raciales.

Le jazz en copropriété

Toujours rassemblées par commodité sous le label du jazz, les musiques improvisées échappent à la propriété exclusive de l'Amérique noire. De nombreux musiciens blancs ont fait leur le patrimoine du jazz : David Liebman et Richard Beirach, plus que quiconque, continuent à approfondir l'héritage commun à John Coltrane et Bill Evans; Keith Jarrett ranime les grands standards et la tradition du trio pour piano et rythmique à la lumière de Bill Evans et de la culture classique européenne; Pat Metheny alimente aux sources d'Ornette Coleman et de Wes Montgomery ses superproductions teintées de musiques pop, brésilienne et country.

Les Noirs sont aujourd'hui nombreux, de Quincy Jones à Marcus Miller, à maîtriser les structures de production. Mais les jazzmen blancs ont également fortement infléchi le son des variétés depuis les années soixante-dix, grâce à des personnalités comme Michael Brecker, David Sanborn ou le guitariste Larry Carlton : des noms qui font toujours référence.

Les big bands ne sont plus ce qu'ils étaient : intégration, depuis Gil Evans, du cor et du tuba à la «brass section» (les cuivres), élargissement des «woodwinds» (les bois, anches doubles et flûtes enrichissant la palette des saxophones et clarinettes), multiplication des percussions, électrification, retour de la guitare disparue dans les années quarante et adoption des synthétiseurs. L'écriture y gagne en souplesse, en mobilité, parfois même en effronterie, sur le modèle de l'insolente Carla Bley (ci-dessus).

Le travail en studio a permis au jazz rock de s'ouvrir à d'autres influences. Si celles-ci ne s'exercent souvent que sous la forme d'emprunts superficiels, le jazz y a du même coup gagné en efficacité commerciale.

En pleine vogue des musiques tropicales, cette «fusion» a su répondre à la demande d'un public friand de musiques toniques, synonymes de soleil et de santé, et à celle d'une jeunesse soucieuse d'afficher les aspects positifs de sa diversité raciale.

Le réveil des grosses machines

Depuis les années quarante, l'initiative en matière de grandes formations revient aux musiciens blancs. Au cours des années soixante, Don Ellis a devancé

Véritable pop star naviguant entre le sublime et la facilité, Pat Metheny (ci-dessus) continue à se réclamer de l'héritage d'Ornette Coleman, Jim Hall et Wes Montgomery. Avec John Abercrombie, John Scofield et Bill Frisell, il a redonné à la guitare jazz une vitalité qu'illustre fort bien la scène parisienne, avec Marc Ducret, Serge Lazarévitch, Lionel Benhamou, Malo Vallois, Louis Winsberg ou Nguyên Lê, pour n'en citer que quelques-uns. Ci-contre, une autre institution du jazz européen : le Vienna Art Orchestra.

les préoccupations métriques du jazz rock. Par la suite, Carla Bley a introduit la dimension parodique : ses compositions évoquent les univers de Charles Ives, Erik Satie, Nino Rota et Kurt Weill. Quant à Gil Evans et George Russell, leur évolution constante à l'avant-garde de l'écriture, depuis leurs premières œuvres, les a conduits à démanteler les structures du big band, allégeant souvent les sections à vent, au profit des rythmiques et d'une liberté héritée du free jazz.

Les tournées de Carla Bley et George Russell, à la tête d'orchestres recrutés en Europe, en disent long sur l'intérêt des musiciens américains pour la scène européenne. «Aura», arrangé par le Danois Palle Mikkelborg, constitue ainsi, en 1989, le seul disque de Miles Davis réalisé en grande formation depuis l'enregistrement de «Quiet Nights» avec Gil Evans en 1962. Ce dernier, peu de temps avant sa mort, retrouve en 1987 le chemin des studios pour diriger l'orchestre Lumière de Laurent Cugny.

Ci-dessus : Hermeto Pascoal, personnage pittoresque et néanmoins visionnaire du Nordeste brésilien, qui a su amalgamer les échos sonores les plus divers en une truculente alchimie musicale.

La création de l'O.N.J. (Orchestre national de jazz) a été favorisée par l'émergence en France d'une réelle pépinière de vocations dans le domaine de l'écriture pour moyennes et grandes formations. La réputation du Vienna Art Orchestra n'a que peu à envier à celle, désormais mythique, du Word of Mouth de Jaco Pastorius.

Chacun son jazz

Jusque-là constituée en famille traversée de guerres fratricides, la communauté du jazz tend à se dissoudre. Si, pour les jazzmen contemporains, les standards restent un exercice de style obligé, ou l'occasion d'exprimer leur authentique dévotion à la tradition, le répertoire et les pratiques ne sont plus assez homogènes pour permettre une rencontre entre musiciens de différentes générations.

Le «Real Book», qui rassemble en un recueil les principales compositions jouées sur la scène du jazz, comprend à chaque édition un nombre croissant de nouvelles pièces. Composées après 1960, elles sont

signées Carla Bley, Keith Jarrett, Steve Swallow, Wayne Shorter, Ornette Coleman ou Pat Metheny. Outre les thèmes originaux, la scène du jazz accueille de plus en plus fréquemment les chansons des vedettes du rock et de la variété, comme elle le faisait autrefois pour celles de la comédie musicale.

Et les jazz fans? Plutôt perdu, le vieil amateur ne voit dans tout ceci pas grand rapport avec la légende colorée de La Nouvelle-Orléans qui lui fit tant aimer le jazz. Ce qui ne le rapproche pas pour autant du collectionneur de «douceurs blanches» de la West Coast, ou de l'ancien anarchiste, nostalgique des concerts free de l'après-68 parisien, d'où l'on sortait entre deux rangs de C.R.S. Ils ont pourtant tous trois en commun de vitupérer contre les productions ECM qu'ils trouvent aseptisées et dépourvues de swing.

La création de l'Orchestre national de jazz (O.N.J.) par le gouvernement socialiste provoqua une inévitable polémique. Art d'improvisation et de résistance culturelle, le jazz pouvait-il être placé sous tutelle de l'Etat? Grâce à ses directeurs successifs, François Jeanneau (ci-dessous avec la première équipe de 1986), Antoine Hervé, Claude Barthélémy et Denis Badault, l'O.N.J. a su depuis s'imposer dans le paysage du jazz français.

Insectes et pygmées

Si l'amateur récalcitrant au disque compact et attaché à sa vieille collection de 78 tours reste un cas extrême, il est certain que le son du jazz et la nature du travail en studio ont considérablement changé. On enregistrait autrefois en une ou plusieurs prises, parmi lesquelles on choisissait la meilleure. Aujourd'hui, la technique du magnétophone multipistes permet le montage des fragments les plus satisfaisants tirés de prises distinctes. On enregistre fréquemment les instrumentistes les uns après les autres, un titre pouvant être réalisé sans qu'aucun des différents interprètes ne se soient rencontrés dans les studios. Si cette pratique reste essentiellement marginale pour les musiques acoustiques, elle est couramment utilisée par les groupes électriques de fusion. Dans tous les cas, le mixage des différentes pistes donne lieu à un important travail de correction, afin d'accroître l'illusion de la restitution sonore, ou même d'intervenir encore sur le contenu artistique de l'œuvre.

Ces opérations ont aussi considérablement évolué avec l'apparition des techniques digitales, qui permettent le traitement informatique du son. Les synthétiseurs en ont également bénéficié. La norme MIDI permet le raccordement entre eux des différents équipements électroniques de l'orchestre : claviers divers, séquenceurs, boîtes à rythme, «guitares-synthé», divers instruments à vent électroniques tel l'EWI… sans oublier le «sampler», qui permet d'échantillonner les caractéristiques d'un son pour le reproduire tel quel, ou le déformer.

Bruits d'insectes ou chorales pygmées ont ainsi pu être piratés et réinjectés dans des réalisations originales. On serait tenté de dire que le jazz retrouve sa fonction première d'appropriation culturelle, si tant est qu'il l'ait oubliée. En effet, plus que jamais au cours de ces dernières années, le jazz, acoustique ou électrique, a capté

Quoi de commun entre les nouveaux instruments à vent électroniques de Michael Brecker (ci-dessous), et les Indiens (ci-contre, au festival Banlieues bleues) réunis par Tony Hymas sur son disque «Oyaté» en hommage aux grands chefs de la résistance indienne ? C'est pourtant dans les journaux de jazz qu'ils sont le mieux défendus, et dans les bacs «jazz» des magasins qu'ils trouvent le plus sûrement leur public.

et assimilé tout ce qui se présentait. C'est ce que l'on pourrait appeler une musique de «fusion», si ceux qui revendiquent ce terme ne lui attribuaient généralement un sens restreint et superficiel. Les anciens prétextes, les standards et les conventions du jazz classique, ne sont plus requis qu'au titre d'un patrimoine plus large qui brasse, au gré d'emprunts et de rencontres, musique classique, traditions urbaines ou rurales, savantes ou populaires, clichés rock ou country, paroxysmes du free, et bruits divers.

Un pouvoir intact

Le jazz est-il mort avec les années quatre-vingt ?
N'est-il pas plutôt mort avec Ornette Coleman,
Gil Evans, Charlie Parker ou tout simplement au
moment de son départ de La Nouvelle-Orléans ?
Le seul fait qui importe est celui-ci : l'explosion
de la musique noire américaine au début du siècle
a bouleversé l'histoire de l'art.

Cet immense fleuve musical, parti de La Nouvelle-
Orléans, a reçu de nombreux affluents et arrive
aujourd'hui en son delta. Ses grands courants s'y
sont perdus en d'innombrables ramifications. Dans
cet espace décloisonné, cosmopolite et multicolore,
les chefs de file ont disparu. Ils ont laissé la place
à une permissivité et une variété fabuleuse de
pratiques individuelles, toutes portées par cet
élan que, dans les années trente, on appela le
swing et qui, en diversifiant ses visages, n'a
rien perdu de son pouvoir.

D'origines juive, russe et
irlandaise, Kip
Hanrahan (en bas à
gauche) rassemble, en
des collectifs aussi
étranges que
provisoires,
les représentants
des différentes
communautés du
Bronx. Le
percussionniste indien
Trilok Gurtu (en haut
à gauche), l'organiste
français Eddy Louiss
(ci-contre) et son
Multicolor Feeling, Bill
Frisell, Jerry Gonzalez,
Sixun (pochettes ci-
dessus) et Nana
Vasconcelos (page
suivante) : autant de
visages de la diversité
du jazz contemporain.

TÉMOIGNAGES
ET DOCUMENTS

Eclatement et subversion,
iconoclasmes et dérives,
le jazz de l'après-bop
a toutes les richesses,
toutes les audaces.

Le grand tournant

A la fin des années quarante, le jazz change de visage. Dizzy Gillespie amorce la fusion du jazz et des rythmes latins. Les musiciens rassemblés dans la chambre de Gil Evans se posent mille questions. C'est là que prend naissance le concept orchestral qui permet à Miles Davis de s'affranchir des «vieux trucs» du bop. Déterminant pour le jazz blanc de la côte Ouest qui gravite autour du Lighthouse Café, le nonette de Miles ne sera cependant pas la seule influence avouée des West Coasters.

La chambre de Gil Evans

George Russell, Miles Davis et Gil Evans se souviennent :

George Russell : En 1948, le visiteur descendait un escalier de la 55e Rue Ouest à Manhattan, vers le rez-de-chaussée d'un immeuble de brique grise et, après avoir frappé, par simple courtoisie, franchissait la porte toujours ouverte du monde de Gil Evans. Dans une chambre faiblement éclairée, un phonographe passait continuellement Alban Berg, Ravel, Lester Young, Ellington, ou un résident occasionnel : Charlie Parker. Il y avait des centaines de disques, des livres de Hermann Hesse, des poèmes de Dylan Thomas et de C.E. Cummings, des peintures abstraites laissées par l'un ou l'autre des hôtes de passage et un chat nommé Becky.

New York était embrasée d'énergie créatrice. Thelonious Monk innovait avec sa musique brillante au Downbeat Club, où Billie Holiday partageait

Gil Evans.

souvent la vedette avec lui. Morton Feldman, John Cage, LaMonte Young, Stephan Wolpe et Gunther Schuller défrichaient, devant des publics nombreux et enthousiastes. Pollock, Kline et Calder exploraient les arts visuels. L'Open Theater traquait le traditionalisme au théâtre. Sur Broadway, Brando, Clift et Dean changeaient l'idée commune du jeu d'acteur, en mettant en pratique la «méthode» de Strasberg. Charlie Parker changeait tous les soirs l'esthétique de la musique américaine au Three Deuces. Son impact révolutionnaire sur la musique a été comparé à celui de Dylan Thomas sur la langue anglaise.

Pendant cette extraordinaire période culturelle, la chambre de Gil devint un refuge pour chercheurs, et lui notre gourou. Je ne crois pas qu'il ait jamais repoussé un musicien qui avait un problème. Il avait le don de déceler l'erreur sur soi-même, et d'insuffler l'énergie pour pousser à rechercher l'impossible. Il fut d'un grand soutien pour Charlie Parker, Miles Davis, et pour moi, très certainement.

Discours de réception de Gil Evans, docteur honoris causa du New England Conservatory, le 19 mai 1985, cité par Laurent Cugny in *Las Vegas Tango, une vie de Gil Evans,* 1989, P.O.L.

Miles Davis : Max, Diz, Bird, Gerry Mulligan, George Russell, Blossom Dearie, John Lewis, Lee Konitz et John Carisi étaient des habitués. Gil avait un grand lit qui occupait beaucoup de place, et un putain de drôle de chat qui se faufilait toujours partout. On traînait là, assis, à parler musique ou à discuter de choses et d'autres. [...] Gil était une vraie mère poule pour nous. [...] Et nous aimions être avec lui, à cause de tout ce

Miles Davis et Dizzy Gillespie.

qu'il nous apprenait, sur la manière de s'intéresser aux gens, à la musique, à l'arrangement en particulier. [...] Il adorait la peinture, me faisait découvrir des choses que je n'aurais jamais vues. Ou bien il écoutait une orchestration et disait : «Miles, écoute le violoncelle, là. De quelle autre façon penses-tu qu'il aurait pu jouer ce passage?»

Miles Davis avec Quincy Troupe, *Miles, l'autobiographie,* 1989, Presses de la Renaissance

Gil Evans : J'étais intéressé par les autres musiciens. J'étais avide de compagnie musicale, parce que je n'en avais pas eu beaucoup auparavant. De même que des discussions sur la théorie musicale. N'ayant pas été à l'école, je n'avais pas connu ça.»

Cité par Jack Chambers in *Milestones,* 1983, Beech Tree Books, lui-même cité par Laurent Cugny, *op. cit.*

Le nonette de Miles Davis

Miles Davis, l'arrangeur John Carisi, Gil Evans et le producteur Bob Weinstock racontent la genèse de «Birth of the Cool».

Miles Davis : J'étais à la recherche de quelque chose, d'un véhicule dans lequel je pourrais prendre davantage de solos dans le style que j'avais dans l'oreille. Ma musique était plus lente, pas aussi intense que celle de Bird. Mes conversations avec Gil sur l'expérimentation de *voicings* plus subtils m'excitaient. Gerry Mulligan, Gil et moi avions réfléchi à la formation de ce groupe. Neuf musiciens nous semblait être un bon nombre. Gil et Gerry avaient décidé quels seraient les instruments avant même que je prenne part aux discussions. Mais la théorie, l'interprétation musicale et le répertoire du groupe sortaient de ma tête. [...] Je voulais Sonny Stitt à l'alto. Sonny avait un son très proche de celui de Bird, j'ai donc pensé à lui sur-le-champ. Mais Gerry Mulligan voulait Lee Konitz : il avait un son léger, pas un son dur be-bop. Gerry estimait que c'était ce qui ferait que l'orchestre et le disque sonneraient différent. Qu'avec moi, Al McKibbon, Max Roach et John Lewis dans le groupe, venant tous du be-bop, on allait retomber dans les mêmes vieux trucs. [...]

Beaucoup de gens trouvaient qu'on jouait des trucs bizarres. Je me souviens que Barry Ulanov, du magazine *Metronome*, était un peu désarçonné par notre musique. Count Basie écoutait, tous les soirs où nous étions à la même affiche, et aimait. Il me disait que c'était «lent et étrange, mais bon, très bon».

Beaucoup d'autres musiciens qui venaient entendre l'orchestre aimaient aussi, Bird compris. [...] «Birth of the Cool» avait des racines musicales noires. Il venait de Duke Ellington. On tentait de sonner comme Claude Thornhill, mais lui-même avait pris ses trucs à Duke Ellington et Fletcher Henderson. Gil Evans, l'arrangeur de «Birth of the Cool», était un très grand fan de Duke et Billy Strayhorn.

Miles Davis avec Quincy Troupe,
op. cit.

John Carisi : Gil et Mulligan ont conçu entre eux cette instrumentation qui est, somme toute, logique et très pratique. Il s'agit de six instruments à vent plus ou moins identiques deux à deux, à une octave de différence. La trompette et le trombone ont une tessiture voisine à une octave près. Même chose pour les saxophones alto et baryton. Et encore pour le cor et le tuba. [...] Gil s'était déjà confronté au cor dans l'orchestre de Claude.

cité par Jack Chambers,
op. cit.

Gil Evans : Très peu de grands artistes savent imaginer un cadre pour eux-mêmes. C'est une chose tout à fait propre à Miles Davis : il pense en terme de cadre pour lui-même. Même quand il a un petit groupe, il pense ainsi. Il dit au pianiste : «Essaie ça, essaie ci.»

idem

Bob Weinstock : Gil avait une énorme influence sur la pensée musicale de Miles. [...] Il me disait constamment : «Engage Gil Evans pour faire un album, il est merveilleux». Je crois que Miles a trouvé là son réel élément, à ce moment précis. Il y avait là une possibilité d'épanouissement pour l'entier de sa sensibilité lorsque la sauvagerie de Bird, son feu, son émotion l'écrasaient à

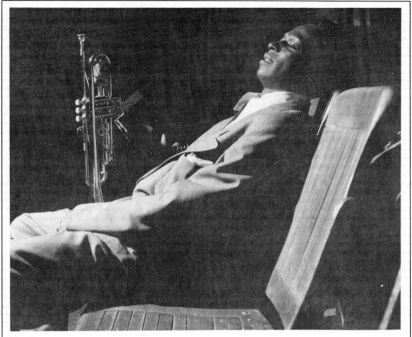

M iles Davis.

chaque fois qu'ils jouaient sur la même scène; là se trouvait une ouverture apte à laisser s'exprimer toute sa personnalité de musicien.

idem

Le Lighthouse Café

Le contrebassiste Howard Rumsey, leader des Lighthouse All Stars, raconte les débuts du lieu phare de la West Coast. De son côté, le trompettiste Shorty Rogers donne sa version des dimanches du Lighthouse.

Howard Rumsey : Je connaissais Hermosa Beach. […] Le Lighthouse était le seul endroit à posséder une scène. Je suis allé trouver John Levine pour lui proposer d'organiser des jam sessions le dimanche après-midi. […] Il ne s'en sortait pas. Alors je lui ai dit : «Vous ne travaillez pas, de toute façon, alors que risquez-vous ? – Tu ne sais pas que le dimanche c'est le plus mauvais jour pour les débits de boissons ? – Essayons quand même !» J'ai trouvé des gars qui pouvaient jouer fort, nous nous sommes installés devant la porte le dimanche suivant, et en une heure il avait plus de monde qu'il n'en avait eu en une semaine.

Shorty Rogers : Nous étions libres le lundi et le mardi, mais le dimanche on

T al Farlow, Novosel, Red Norvo.

jouait de deux heures de l'après-midi à deux heures du matin. C'était physiquement très dur, mais nous étions jeunes, et puis l'endroit était formidable. Les consommations n'étaient pas chères, il n'y avait pas de droit d'entrée… C'était toujours bourré. Comme l'océan était à quelques mètres, il y avait souvent, dès l'ouverture, un spectateur en maillot de bain. Et parfois, à deux heures du matin, il était encore là en maillot de bain.

– Le Lighthouse était aussi un laboratoire pour les jeunes musiciens que vous étiez.

Je le pense, surtout pour Jimmy et moi qui écrivions sans cesse de nouveaux morceaux. A peine arrivés, nous les lisions sur scène. […] Nous avions la chance de pouvoir entendre les morceaux dès qu'ils étaient écrits.[…]

Nombre de ces compositions ont été enregistrées par la suite – par Jimmy avec son groupe, par moi avec les Giants et aussi par les groupes du Lighthouse.

in *Jazz Magazine*, mars 1986

Prévin, Norvo et Basie

Shorty Rogers avoue ses influences, entre jazz classique et musique sérielle.

C'est André Prévin qui m'avait initié à l'écriture sérielle. J'ai fait quelques expériences et ça m'a beaucoup plu. […] Les Giants comprenaient Jimmy, Shelly et moi, puis Pete Jolly, et à la basse Curtis Counce ou Ralph Pena. Nous avions tous les trois le goût des choses expérimentales […].

J'avais trouvé des petits stratagèmes qui, à ma connaissance, n'avaient jamais été utilisés, et certainement pas par les compositeurs dodécaphonistes. Il s'agissait d'adapter ce système à la situation du jazz et d'obtenir différentes progressions harmoniques.

– *Appelleriez-vous ça du «free jazz»?*

Oui, je crois. Ce n'était pas complètement «libre» car nous avions des choses écrites, mais à l'intérieur de cela il y avait des passages où il fallait fermer les yeux, ne plus regarder la musique pour jouer complètement free.

[*A propos de Red Norvo*]
Il y a toujours eu dans ses groupes quelque chose d'unique : on jouait doucement, avec délicatesse, et ça a fini par faire partie de moi, au point que j'utilisais une sourdine. Plus tard, sans m'en rendre compte, nous avons fait avec les Giants des choses d'une douceur inhabituelle – en fait, c'était un peu dans le style des Kansas City Seven de Count Basie : des petites variations au piano, beaucoup de *walking bass*, et ce son qu'on a identifié […] comme le «son West Coast». Mais quand je regarde en arrière et que je me demande : «Où ai-je entendu ce son ? D'où vient-il ?», je me dis qu'il vient de mon expérience avec Red et de mon amour pour les Kansas City Seven.
[…] On m'a appelé parfois «le père du jazz West Coast», alors que c'était plutôt Norvo et Count Basie. […] Mon seul but était de jouer et de me faire plaisir. On aurait dû parler plutôt de «jazz de plaisir».

in *Jazz Magazine*, avril 1986

Latin Jazz

Le percussionniste-chanteur Machito, les trompettistes Mario Bauza et Dizzy Gillespie, les arrangeurs Gil Fuller et George Russell, le contrebassiste Al McKibbon témoignent de l'enthousiasme et des difficultés qui accompagnent la rencontre entre musiciens afro-cubains et jazzmen.

Machito : Tous les musiciens étaient fous à l'idée de jouer avec Charlie Parker. Il était venu avec l'idée de jouer *El Manicero* et de l'enregistrer, mais *El Manicero* a quelque chose qui ne peut pas s'écrire […] mais qu'il faut sentir […].

Au début, les musiciens de jazz avaient des problèmes pour s'adapter à nos rythmes. Souvent ils ne trouvaient pas le premier temps car nous ne jouons pas un 4/4 carré. Il faut le sentir : le bongocero et le timbalero font des polyrythmes. Le premier temps est là, moi je l'entends, mais il y a beaucoup de gens, même latins, qui ne l'entendent pas. Nous ne nous attendions pas à ce que Charlie Parker joue avec le feeling latin. Nous attendions de lui sa richesse harmonique, son expressivité. Nous ne lui avons pas demandé de s'adapter à nous. C'est nous qui nous sommes adaptés à lui. Parfois nous nous sommes limités volontairement pour lui. Nous aurions pu faire un million de choses qui l'auraient perturbé, mais justement nous ne voulions pas ça. Nous voulions qu'il se sente bien, et finalement nous n'avons pas enregistré *El Manicero*.

in *Jazz Magazine,* janvier 1979

Mario Bauza : C'est moi qui suis à l'origine de ce mariage, de cette fusion. Je vais vous expliquer : au moment où Diz a quitté Cab Calloway, il m'a dit qu'il voulait absolument faire quelque chose. Alors je l'ai poussé : «Eh bien, pourquoi ne te lances-tu pas dans ta vieille idée?» On en avait souvent parlé ensemble dans l'orchestre. [...] Je suis allé chercher Chano Pozo, qui était mon ami. [...] Quand Dizzy a organisé son orchestre avec Chano, le batteur Max Roach avait un sacré travail pour essayer de s'adapter. Au début la conga les arrêtait, et il a fallu que la rythmique trouve une approche, une nouvelle structure pour intégrer les différents plans, assurer la fusion entre les deux pays.

Dizzy Gillespie : Chano nous a appris la superposition des rythmes. [...] Et quand on voyageait en car, il distribuait plusieurs petits tambours, un à moi, un à Al McKibbon, et des accessoires comme la cloche à quelqu'un d'autre, et puis il chargeait chacun de faire un rythme différent. On avait donc tous une figure rythmique précise à jouer qui devait en outre s'intégrer à la combinaison des autres.

Al McKibbon : [...] De voir ce type taper sur des peaux avec les mains nues était pour moi un truc nouveau et fascinant. Je suis du Midwest, moi, et je n'avais jamais entendu quelqu'un raconter une histoire avec ses mains sur des peaux de tambour. [...] Pour moi, la rythmique d'acier de Count Basie était la seule!

Walter Gilbert Fuller : Notre premier morceau d'inspiration afro-cubaine a été *Manteca*. Tout s'est élaboré dans mon appartement, au 94 rue La Salle, entre Dizzy, moi, Chano et Bill Graham. Chano nous chantait des phrases et on lui demandait : «Quelle ligne de basse tu entends, là?» ou : «Et là, tu veux quoi?» «Les trompettes, qu'est-ce qu'elles font?»

Alors il chantait ce qu'il avait dans la tête. Et au bout d'un moment je lui ai dit: «Ça va. Ça me suffit. Je vais t'arranger ça.» On avait déjà passé deux heures à élucubrer de cette manière, sur toutes les idées bien précises que Chano essayait de nous expliquer!

George Russell : Diz avait déjà ébauché la partie *Cubana Be* du morceau entier, pour lequel j'ai composé une longue introduction modale, c'est-à-dire qu'elle n'était pas construite à partir d'un système d'accords, ce qui, à l'époque, était une innovation. [...] Le morceau comprenait mon introduction dans cette forme novatrice, suivie du thème de Dizzy orchestré. Puis j'eus l'idée de la seconde partie du morceau, *Cubana Bop*. Nous étions dans le car qui nous emmenait à Boston pour un concert au Symphony Hall, et j'écoutais Chano lancé dans un nanigo, une de ces musiques cubaines au caractère mystique. Alors j'ai suggéré à Diz de jouer le morceau le soir au concert, en l'élargissant par un long solo de Chano au milieu. Après quoi tout le monde se mettait à chanter une sorte d'incantation sur les mots : «*Cubana Be, Cubana Bop*», et l'orchestre entier reprenait avec certaines conventions pour finir. [...] Lorsque j'ai entendu pour la première fois la combinaison des rythmes afro-cubains et de notre style de batterie standard, j'ai eu l'impression d'assister à un feu d'artifice. C'est ce que nous recherchions, cette ouverture vers l'extérieur, cette approche plus universelle.

Cités *in* Al Fraser et Dizzy Gillespie,
To Be or not to Bop,
1981, Presses de la Renaissance

Dizzy Gillespie.

Grandes figures

Face à la versatilité du jazz contemporain qui, en l'absence de chefs de file, emprunte toutes les directions, l'amateur se trouve parfois désorienté et regrette les prophètes du passé qui devançaient le jazz en marche, indiquant la voie à suivre. Les années cinquante furent le dernier vivier de ces figures légendaires. Mais déjà, par la diversité de leurs démarches, par leurs questions et par leurs contradictions, elles annonçaient l'éclatement actuel.

La démarche de Monk

«L'erreur fait partie du système de Monk.» Le compositeur, romancier et musicologue André Hodeir dépeint la démarche de Monk : à la recherche d'un accord qu'il a en tête, il tombe par hasard sur un autre qui va relancer sa quête.

Monk doute-t-il? Souffre-t-il? Une goutte de sueur a percé son front à l'instant où il jouait la dernière croche de la vingt et unième mesure. Il sait que le rendez-vous est imminent. Où? N'a-t-il pas déjà dépassé l'objectif? Ne pas s'affoler. Quand? Il cambre sa volonté. C'est là! Le sforzando! Accent dramatique! Aaaahhh! Coup de théâtre. Monk n'a pas joué l'accord. C'est une autre combinaison qui est venue. Ses doigts et lui-même, d'une seule impulsion. Combinaison si belle, et qui

Thelonious Monk.

Sonny Rollins.

correspond si parfaitement à l'accentuation de la phrase, qu'une certitude s'impose immédiatement : l'autre accord, celui que Monk voulait retrouver, n'était qu'un état préparatoire, une esquisse de celui qu'il vient de découvrir dans sa vérité bouleversante. Monk ouvre la bouche et laisse échapper un gémissement qui est un cri de triomphe. *Je l'ai! Je l'ai!* [...]

Monk ne peut plus poursuivre le but qu'il s'était fixé. But dérisoire! L'accord imprévu, le bel accord soudainement surgi a soufflé le paysage dans lequel il se mouvait lentement. Un nouveau monde se découvre à lui, qui lui impose une mutation génétique. Le voici qui change d'espèce. Courir. Bondir. Quelquefois ses doigts le précèdent, quelquefois il les guide, il court trop vite, il ne sait plus où il en est, il titube de bonheur; et en même temps il comprend que sa chance est morte. Une goutte de sueur tombe sur le clavier à côté d'un de ses doigts qui s'immobilise. Il se rend compte qu'il s'arrête, qu'il a cessé de jouer. Une note solitaire, un *si* bémol décapité résonne longuement dans le silence retrouvé que meuble à peine le ronronnement du magnétophone occupé à enregistrer le silence.

André Hodeir, *Les Mondes du Jazz*, 1970, Union Générale d'Editions

«Sonny le solitaire»

A la lecture des notes de pochette d'Alain Gerber pour l'album RCA «The Bridge» (le pont), on comprend mieux qu'un personnage de la stature de Sonny Rollins puisse faire figure de marginal inclassable dans une histoire du jazz.

Lorsqu'à la fin des années cinquante, Sonny Rollins se retire de la scène du jazz pour méditer et résoudre certains problèmes philosophiques et musicaux, c'est qu'il a été blessé par l'ascension coltranienne et qu'il se trouve dans la nécessité de féconder un univers concurrent. C'est le temps de la légende : Sonny-le-Sage réfléchit sur le monde. [...]

Sonny-le-Mystique se convertit au rosicrucisme, Sonny-le-Solitaire joue du saxophone à la brume, sur le pont de Williamsburg. Le pont. «The Bridge». A la fin de l'année 1961, il reprend ses activités, commençant par honorer un contrat à la Jazz Gallery. En janvier et février 1962, il enregistre avec Jim Hall, Bob Cranshaw et Ben Riley (ou H.T. Sanders pour *God Bless The Child*) ce disque dont le titre constituera une mine

d'or pour le journalisme spécialisé. Et pourtant à y regarder de près, on constate que jamais Sonny n'a passé aucun pont – du moins pas de manière définitive, sans revenir sur ses pas et revisiter l'autre rive. Ce dernier manège, il n'a pas cessé de s'y livrer tout au long d'une carrière discographique bien remplie. [...]

Partout Sonny reste introuvable, ou plutôt son style, car ce refus de choisir qui demeure, c'est l'homme même [...]. «La musique n'a d'intérêt pour moi qu'en tant que traduction de ce que je suis sur le plan humain.» Un temps, il a cru pouvoir conjuguer cette humanité intempestive, l'expulser d'un art où elle sème la dispersion. [...]

Quelques mois après la parution de «The Bridge», il sera bien contraint d'admettre que cette pluralité n'est pas le défaut de sa démarche mais une de ses déterminations essentielles. «Je m'efforce de rester fidèle à moi-même, déplore-t-il, mais, malgré moi, je n'arrive jamais à m'exprimer d'une manière identique.» Au vrai, il devrait s'en réjouir, car l'exceptionnelle richesse de son œuvre tient précisément à ce qu'il n'a jamais su en bloquer le dynamisme par la fixation d'un projet unique.

Alain Gerber, notes de pochette pour l'édition de l'album de Sonny Rollins «The Bridge» dans les «Black & White Series» (RCA)

Lee Konitz.

«Il y a un jazz de feu, un jazz de brume»

Le journaliste et romancier Alain Gerber compare le Juif Lee Konitz et le Nègre Art Blakey, deux figures symboliques du cool et du hard bop.

Arthur adore jouer au bon sauvage, danses tribales, rumeurs de brousse,

Art Blakey, figure symbolique de la négritude du jazz.

joyeux ébats de l'éléphant dans le magasin de porcelaines. Lee ne dédaigne pas de se faire prendre pour un intellectuel à lunettes, premier de classe chez Lennie Tristano, poisson dans l'eau parmi les subtilissimes géométries de Martial Solal. Blakey casse la baraque; Konitz pourrait reconstruire le monde sur une tête d'épingle. Au moins les rôles sont-ils bien partagés.

Depuis près d'un demi-siècle, Abdullah Ibn Buhaina loue le Seigneur sur les cymbales éclatantes, le crâne un peu fêlé par une «patate bleue» en mal de ratonnade. Quand les autres, à l'office, cuisinent le bop dans leurs chaudrons de sorcières, il s'agite à la cave, clouant avec obstination on ne sait quoi de bizarre et d'époustouflant. De temps en temps, sans crier gare, il se précipite avec un seau de charbon et le renverse dans l'escalier. Vrrrroooommmmm! Il est heureux ce con-là. Il boite de tous les pieds, tel Vulcain, et, faisant semblant d'être le mécanicien paumé de la locomotive en folie, la bouche ouverte, les yeux révulsés, il n'a jamais raté le plus petit aiguillage. Art Blakey, l'échappé de la cabane bambou, est le type le plus sûr du jazz; c'est l'homme à qui vous pourriez aller demander le secret du swing, si quelqu'un l'avait perdu dans les toilettes pour hommes de la gare de Poughkeepsie.

Pendant ce temps-là, très humble et fort pâle, Lee Konitz souffle du coin de la bouche des morceaux de brouillard. Il connaît la musique tellement bien qu'il peut tout oublier et partir pour ailleurs. Il ne s'en est jamais privé. Il est l'homme qui s'en va dans les rêves. L'absent. Le voyageur immobile, visiteur de pays qui n'existent pas, qui sont des ombres et des mystères, et de fugaces lueurs.

Lui aussi, pourtant, sait parfaitement ce qu'il fait. Dans ce monde, la beauté du jazz reste un crime sans excuse : récidive avec préméditation.

Alain Gerber,\
in *Le Matin*, 14 mai 1982, repris dans\
Alain Gerber, *Portraits en Jazz*,\
1990, Renaudot.

Bill Evans et John Coltrane innovent

Miles Davis présente les deux musiciens qui ont marqué son adoption du jazz modal.

Ce que j'ai appris de la forme modale, c'est que quand on joue de cette manière, quand on va dans cette direction, on peut continuer à l'infini. Inutile de se soucier de grilles ou de trucs comme ça. On peut tirer davantage de la ligne musicale. Quand on travaille de façon modale, le défi, c'est de voir à quel point on peut devenir inventif sur le plan mélodique. Ce n'est pas comme quand on se base sur des accords, quand on sait au bout de trente-deux mesures que les accords sont terminés, qu'il n'y a rien d'autre à faire qu'à se répéter avec des variantes. J'allais vers des façons mélodiques de faire les choses. Et l'approche modale me semblait riche de possibilités. [...] Après que Red Garland m'eut plaqué, j'ai trouvé un nouveau pianiste. Il s'appelait Bill Evans. J'avais besoin d'un pianiste qui soit au fait du modal, et Bill Evans l'était. C'est par George Russell, avec qui il avait étudié, que je l'avais rencontré. Je connaissais George depuis l'époque où Gil avait son appartement dans la 55e Rue. M'engageant de plus en plus dans le modal, j'ai demandé à George s'il connaissait un pianiste qui pourrait jouer ce que je voulais. Il m'a recommandé Bill.

Bill nous a apporté une grande connaissance de la musique classique, de gens comme Rachmaninov et Ravel. C'est lui qui m'a fait écouter le pianiste italien Arturo Michelangeli. Je suis tombé amoureux de sa façon de jouer. Au piano, Bill avait ce feu paisible que j'aimais. Son approche de l'instrument, le son qu'il en tirait, c'était comme des notes de cristal, une eau pétillante tombant en cascade d'une chute limpide. Il m'a fallu à nouveau changer le son de l'orchestre pour coller au style de Bill, jouer des thèmes différents, plus doux dans un premier temps. Bill jouait en deçà du rythme. […] Red portait le rythme, Bill le tempérait. […] Trane était le saxophoniste le plus puissant, le plus rapide que j'aie jamais vu. Il pouvait jouer très vite et très fort, ce qui est difficile. Lorsque la plupart des musiciens jouent fort, il s'enferment. J'en ai vu beaucoup, des saxophonistes qui se sont plantés en essayant. Trane y arrivait, il était phénoménal. Quand il portait un saxophone à la bouche, on aurait cru qu'il était possédé. Il était si passionné – si acharné – , et pourtant si tranquille, si gentil quand il ne jouait pas. Exquis. Dans mon groupe, Trane ne notait jamais rien par écrit. Il se mettait simplement à jouer. Mais on discutait beaucoup musique pendant les répétitions et le trajet jusqu'aux *gigs*. Je lui montrais plein de trucs, il écoutait toujours et le faisait. Je lui disais : «Trane, voilà des accords, mais ne les joue pas toujours tels quels, tu comprends? Tu les attaques au milieu, tu peux les prendre en tierces… Tu as dix-huit ou dix-neuf choses différentes à jouer en deux mesures.» Il était assis devant moi, les yeux grands ouverts, et absorbait tout. C'était un novateur, il faut parler juste à des gens comme ça. Je lui disais de commencer en plein milieu parce que ça se passait comme ça dans sa tête, de toute façon. Il recherchait le défi, et si vous lui présentiez mal votre truc, il écoutait pas. Mais Trane était le seul musicien capable de jouer les accords que je lui donnais sans qu'ils ressemblent à des accords.

Miles Davis avec Quincy Troupe
op. cit.

John Coltrane.

Du free jazz à la third world music

Avec le free jazz, la musique noire américaine tente de s'affranchir des modèles de la culture blanche. Par-delà les impasses où débouche l'aventure, par-delà la renaissance de l'avant-garde noire dans les lofts des années soixante-dix, c'est encore une occasion d'interrogations multiples qui touchent même les musiciens étrangers au mouvement et suscitent des réponses de Paris à Buenos Aires.

Free jazz/Black Power

C'est le titre du principal livre écrit sur le sujet. Une mine d'informations tant sur le discours critique de l'époque que sur le free jazz.

Le rôle des «improvisations», leur place, leur statut n'ont plus grand rapport avec les traditions de tous âges : le plus souvent, tous les musiciens d'un ensemble improvisent *ensemble* et *chacun pour soi.* Cette restauration des principes d'improvisation collective réinscrit dans la musique négro-américaine ce que les critiques ont appelé la «polyphonie néo-orléanaise». «Nous essayons, disait Ayler, de rajeunir ce vieux sentiment du New Orleans que la musique peut être jouée collectivement et dans une forme libre.» De plus, même quand elles se succèdent dans le temps, les improvisations du free jazz s'ajoutent, se contrarient, constituent des réseaux, des strates, un feuilleté de lignes sonores – plutôt qu'une même ligne prolongée par plusieurs musiciens se relayant. Ainsi l'œuvre entière devient-elle improvisation, dans la mesure où sa structure, sa forme d'ensemble naissent du croisement, plus ou moins prévu, des lignes individuelles. Polycentrique, l'improvisation collective free est en fait beaucoup plus que la simple réactivation du système polyphonique du jazz New Orleans. [...] Elle est de nature essentiellement aléatoire : provocante, risquée, ludique. [...] Nombre de musiciens free

Albert Ayler.

affirment qu'il n'est pas nécessaire pour jouer de la musique afro-américaine de passer par l'enseignement académique occidental. [...] D'où une utilisation souvent fort peu «orthodoxe» des instruments, un besoin de dépasser les limites instrumentales imposées par les normes occidentales. Ce qui était accident, exception, devient nouvelle possibilité sonore : les sifflements d'anche (gommés hier des enregistrements de Charlie Parker en tant que défauts ou erreurs) sont acceptés, valorisés comme parties intégrantes du discours; les effets de souffle, les bruits considérés jusqu'alors comme parasites de la pureté sonore sont exploités, travaillés; un ailleurs (registres suraigus, bruits «incongrus», choc des clés du saxophone, etc.) du champ d'action habituel est sans cesse sollicité. [...] Les sons, affirme Ayler, deviennent plus importants que les notes et le musicien semble se moquer désormais qu'elles soient (jugées) «bonnes» ou «mauvaises». Cris, bruits, chocs, grognements, grincements : tous les effets infra-musicaux participent du discours de l'improvisateur.

Philippe Carles et Jean-Louis Comolli,
Free jazz/Black Power,
1979, rééd. Galilée.

Le cri d'Albert Ayler

Sous la plume du poète et critique Jacques Réda, une analyse dont la tendresse et la lucidité contrastent avec les béatifications sectaires de l'époque.

Comment finir? On ne sait pas. Et l'on ne sait pas parce qu'on ne veut pas. Personne ne veut vraiment finir. Quand on est au fond d'une impasse, qu'est-ce qu'on fait? A moins de s'y complaire, d'y trouver une espèce d'accomplissement, on peut s'asseoir et décider de se taire; ou se raconter à mi-voix qu'on est ailleurs et arriver à le croire; ou revenir sur ses pas pour tenter de découvrir n'importe où n'importe quelle issue; ou se réfugier dans ses souvenirs; ou encore se cogner la tête, ou les deux à la fois; ou se figurer qu'on s'élève, qu'on s'évade par en haut; ou prier pour que vienne vite la fin qui, puisqu'on s'adresse à quelqu'un qui a pouvoir sur elle, ne sera donc pas vraiment la fin; ou entreprendre des réussites. On peut aussi nier la fin ou se mettre à hurler jusqu'à ce qu'elle se produise.

Ainsi Albert Ayler a-t-il vécu la fin du jazz. Non seulement en hurlant, en se souvenant, en priant, en se cognant la tête et en courant dans tous les sens, mais en l'accélérant avec une allégresse ingénue. Plus ardemment et franchement que tout autre il a soutenu cette épreuve de la fin. Non sans doute par exaltation lyrique perverse mais parce que lui aussi la refusait, considérant que toute fin a une double raison d'être, qu'il n'y a pas de fin sans possibilité d'un nouveau commencement. Ce contre quoi il se heurtait n'était donc pas une limite infranchissable, mais l'espace inerte et sans fin que peut être aussi la fin, où n'avancent plus que des fantômes, qui n'est plus peuplé que de démons, de sorcières, d'esprits, de vibrations. Il les a tous poussés devant lui dans un emportement de panique. Pour le soutenir, il a psalmodié des hymnes et rythmé des marches militaires, murmuré des berceuses d'ivrogne et hoqueté des chansons d'amour. Toujours mélangeant tout et l'agitant pour que la fin rende gorge, qu'elle suffoque, se ravale et arrache de son vide la vérité inaugurale d'un cri. [...]

Jacques Réda,
L'Improviste, une lecture du jazz,
1990, Gallimard (éd. revue et augm.)

Un instrument proche de la voix

Le saxophone ténor devient l'instrument roi du jazz.

Le saxophone […] est un instrument très malléable, extrêmement proche de la voix humaine. Et puis c'est un instrument qui n'a pas tellement de passé. Pour moi je le considère comme une partie de mon corps, un prolongement de moi, je peux le faire hurler, crier, geindre. […] Le free, c'est pour moi le début du règne du saxophone, et plus particulièrement du saxophone ténor.

Michel Portal,
in *Jazz Hot*, mai-juin 1968

La loft generation

Une confuse polémique s'engagea dans la seconde moitié des années soixante-dix pour savoir s'il existait vraiment une musique des lofts. De retour des Etats-Unis, Francis Marmande fait le point.

Les lofts, si l'on veut, c'est une façon de vivre. Des ateliers désaffectés, des bouts d'usine, des magasins transformés en pièces d'un seul tenant, avec lit suspendu, mobilier de bois blanc et plantes vertes. Ou en salles de répétition-concerts. […] Mais Soho, le Village, les lofts, c'est aussi une manière plus douce d'appréhender la vie, c'est un réseau de relations moins isolées, moins névrotiques que dans les grandes villes, une effervescence vraie, un mouvement réel, auxquels participent un public, des journaux, mille musiciens aussi différents que possible et dont beaucoup sont – depuis belle lurette – bien connus. […] Donc, que cela plaise ou non, ce mouvement existe et les disques enregistrés à Rivbea («Wildflowers») n'étaient pas un mirage. Et simplement, ce qui, un jour, a commencé à Rivbea (Sam et Beatrice Rivers), à Artist House (Ornette Coleman) ou au Studio We, ce qui a mis une dizaine d'années à s'imposer […] soudain prolifère, s'organise, se ramifie; avec une jubilation et un succès incontestables. […] Et ce mouvement n'est pas affaire de «style» musical. Son unité viendrait plutôt de sa disparate.

Francis Marmande,
«Transamerica express»
in *Jazz Magazine*, octobre 1977

Samuel et Beatrice Rivers.

*A l'issue d'un long séjour européen,
Sunny Murray, le batteur vétéran de la
new thing, découvre l'héritage du free
jazz auprès de la loft generation.*

Comme celle du be bop, comme toute
révolution musicale, la révolution de
l'avant-garde a été un bouillonnement
d'exagérations. Nous nous sommes
attaqués à l'essentiel, gaspillant force et
talent sans compter, au lieu d'exploiter
les conséquences de nos idées. [...] Ce
n'est plus cette atmosphère de
concurrence destructrice que nous avons
connue, Archie, moi, Raschied Ali, tous
les types de l'avant-garde... Ici j'ai
trouvé une musique nouvelle, fraîche,
vivante. La musique ne s'est pas arrêtée
il y a une décennie. [...]

Sunny Murray,
in Jazz Magazine, juin 1977

Sunny Murray.

l'influence de Corea, Dave Holland et
Barry Altschul. Quant à moi, j'étais venu
là pour jouer tous les styles de musique,
sans idées préconçues. Je suis
trompettiste, pas idéologue ! A la fin des
années soixante, un soir je jouais «free»,
avec Corea et son groupe, le lendemain
«fusion» avec Coryell, ou «typique» dans
les big bands, pour gagner un peu
d'argent.

Randy Brecker in Jazz Hot,
septembre-octobre 1982

*Plus connu pour ses activités dans le
domaine de la fusion, le trompettiste
Randy Brecker fait la lumière sur d'autres
aspects sous-estimés de la «loft scene» dès
1970.*

J'avais alors 21 ans, et il existait à
Manhattan une «loft scene» très active,
concentrée dans trois immeubles précis.
J'avais mon propre loft avec des
musiciens comme Dave Holland, John
Abercrombie, Ralph Towner, Stanley
Clarke et Lenny White... On a
enregistré plein de cassettes. Le loft du
bassiste Gene Perla rassemblait des mecs
de Boston comme Don Alias, et aussi
Jan Hammer. Mon frère Mike avait pour
voisin de palier Chick Corea. Dans ces
trois bâtiments, c'était un bœuf
ininterrompu : souvent, chez Mike, on
entendait plusieurs jam sessions en
même temps à tous les étages. Au début,
la tendance était surtout au «free», sous

En marge du free jazz

*Bien qu'étrangers au mouvement free, les
compagnons de Miles ont su y prêter
l'oreille et en tirer les conséquences.
Herbie Hancock se souvient plus
particulièrement de sa rencontre avec Eric
Dolphy.*

Herbie Hancock : Je lui ai répondu très
franchement que je n'étais pas sûr de

savoir jouer ce type de musique : «Que suis-je supposé jouer ? Y a-t-il des lignes mélodiques, des accords dans cette musique ?» Il me répondit : «Bien sûr, nous avons nos mélodies à nous et nos accords.» Je n'en revenais pas.

Cela sonnait tellement libre... Il me dit de jouer exactement comme je le ressentais. Avant le premier soir, j'étais encore perplexe. Je décidai d'adopter une certaine approche : je ne tiendrais pas compte de certaines règles que je suivais en temps normal, et je les remplaçai par de nouvelles règles rendant mon jeu plus libre. [...] Parfois, à force de transgresser les interdits, je me retrouvai complètement perdu ; je compris alors qu'il n'y avait pas de mal à cela. L'important, c'est de bien écouter ce que les autres jouent et de parvenir à créer quelque chose qui puisse s'intégrer dans le contexte sans s'inquiéter du reste, des structures de base du morceau{...}

Tony [Williams] avait fait partie de certains groupes d'avant-garde; il avait déjà travaillé avec Sam Rivers à Boston, lorsqu'il avait quatorze-quinze ans. Ce qu'ils jouaient alors était extrêmement en avance sur l'époque. Lorsqu'il voulut écrire la musique de «Spring» et de «Life Time», comme il n'était pas capable de l'écrire lui-même, il me demanda de l'écrire pour lui : il jouait les notes avec deux doigts sur le piano... C'était toujours des mélodies étonnantes, des rythmes étranges. [...] Il ne parlait pas en termes de notes ou d'accords. [...] C'était une nouvelle façon de considérer l'élaboration d'une musique, un peu comme on pourrait aborder la confection d'un tableau : en termes de formes, de couleurs, etc. Ça aussi, c'est un concept d'avant-garde que je découvris avec lui.

Herbie Hancock,
in *Jazz Hot*,
juillet-août 1979

Tony Williams : Je ne vois pas bien l'intérêt qu'il y a pour un batteur à jouer continuellement la hi-hat d'un bout à l'autre d'un morceau. [...] Mon tempo est dans ma tête et, je l'espère, sur ma cymbale. On peut dire que je me range dans la catégorie des drummers qui jouent «free», un mot que je n'aime pas beaucoup. La plupart des batteurs qui jouent ainsi ne marquent plus le tempo... Pour moi, la permanence rythmique, c'est un certain feeling, une certaine qualité de son que l'on peut tout aussi bien obtenir sur la cymbale... [...] Ce tempo est en moi et, donc, au bout de mes baguettes : je le sens et on doit l'y percevoir.

Tony Williams, in *Down Beat*,
cité par Jean-Louis Comolli,
in *Jazz Magazine*, juin 1965

– Miles joue-t-il free?
Wayne Shorter : En public, oui. Peut-être dans les disques cela ne s'entend-il pas beaucoup, sans doute y saisit-on au contraire des atteintes à la liberté... Mais en public nous jouions vraiment très free, tout particulièrement avec le groupe qui comprenait Jack DeJohnette et Chick Corea, et même avec Tony Williams et Herbie Hancock.

Wayne Shorter,
Jazz Magazine, novembre 1971

Crise d'identité

Le free jazz est l'occasion, pour de nombreux musiciens, de s'interroger sur l'identité du jazzman européen. Michel Portal est l'un des premiers à poser ces questions. Plus tard il sera l'un des premiers à leur donner une réponse.

Le drame, pour nous, c'est que nous jouons une musique volée. C'est une musique noire, née dans un contexte précis, en réaction à une situation politique et idéologique précise. […] Et puis il y a un problème de racines culturelles. A quatorze ans, on ne prend pas une guitare et on ne se met pas à chanter le blues. […] Je voudrais jouer une musique qui correspondrait à la sienne [Albert Ayler], pour la France. Mais ce n'est pas facile de trouver ce qu'elle devrait être pour le moment.

Michel Portal
in *Jazz Hot*, mai-juin 1968

Pour le saxophoniste Gato Barbieri, la réponse c'est le retour à son Argentine natale et l'exploration des richesses musicales du tiers monde.

Je ne voulais plus jouer une musique qui ne m'appartenait pas. Je traversais une période de crise et ne savais plus que faire… C'est alors que j'ai retrouvé le metteur en scène brésilien Glauber Rocha. […] Glauber est très sensibilisé à tout ce qui concerne le tiers monde. […] Il m'a dit : «Tu viens d'un pays sous-développé, tu appartiens à une sous-culture : tu dois faire quelque chose à partir de ce que tu connais. Tu dois en être fier et ne plus essayer de faire ou de jouer ce que tu as appris à travers le colonialisme. […] Tu dois travailler sur ce qu'il y a de meilleur en toi, de plus vrai, sur ce que tu as de profondément latino-américain.» J'ai commencé de penser à un disque dans lequel je jouerais des musiques dont j'avais le souvenir. Par exemple, ces *Bachianas Brasileiras* de Villa-Lobos, des airs que j'avais entendus quand j'étais gosse. […] En Argentine, j'ai joué avec des musiciens folkloriques… J'y ai retrouvé mes racines sans processus intellectuel complexe, alors que mon rapport au jazz était forcément plus abstrait, plus intellectualisé. […] Je comprenais fort bien qu'il n'y ait pas de jazz au Brésil : la musique populaire y était tellement fantastique et riche. C'était leur jazz. Un peu comme le tango était le jazz des Argentins.

Gato Barbieri
in *Jazz Magazine*, février 1972

Gato Barbieri, comme Dollar Brand ou Chris McGregor, montre la musique noire américaine en exemple aux musiques du tiers monde.

Le jazz se branche

1968 : faute de rompre avec la société de consommation, la jeunesse occidentale en révolte prépare l'avènement de la culture rock. Miles Davis est l'un des premiers jazzmen à en tirer les leçons. Avec le jazz rock apparaissent de nouvelles sonorités, de nouvelles manières de jouer, de nouvelles méthodes de travail et d'enregistrement.

Un son plus rock

En février 1969, Miles Davis prend un nouveau tournant avec «In a Silent Way».

Beaucoup de changements sont survenus en musique autour de 1967 et 1968, beaucoup de choses nouvelles sont apparues. Charles Lloyd avait Jack DeJohnette et un jeune pianiste, Keith Jarrett. Ces deux-là produisaient un croisement de jazz et de rock, une musique très rythmique. [...]

En 1968, j'écoutais surtout James Brown, le grand guitariste Jimi Hendrix, et un nouveau groupe qui venait de faire un succès avec «Dance to the Music» : Sly and the Family Stone, dirigé par Sly Stewart, de San Francisco. Ça faisait vraiment mal, avec plein de trucs funky. [...]

On a modifié ce que Joe avait fait sur «In a Silent Way», élagué les accords, extrait la mélodie et travaillé à partir de ça. Je voulais un son plus rock. En répétition, on l'a joué tel que Joe l'avait écrit : ça n'allait pas pour moi, avec tous ces accords encombrants. Mais j'entendais très bien que la mélodie écrite par Joe – cachée par tout le reste – était vraiment belle. Quand on est passé à l'enregistrement, j'ai balancé toutes les grilles et je leur ai dit de ne jouer que la mélodie.

Josef "Joe" Zawinul.

Silence, on tourne

Les options de «In a Silent Way» se confirment sept mois plus tard avec «Bitches Brew».

J'avais essayé d'écrire quelques accords de passage simples pour trois pianos. En le faisant, c'est drôle comme je pensais à la manière dont Stravinsky en était revenu à des formes simples. Je me suis aperçu que plus on les jouait, plus ils devenaient différents. J'écrivais un accord, une pause, un autre accord, et il se vérifiait que plus c'était joué plus ça évoluait différemment. Tout avait commencé en 1968 avec Chick, Joe et Herbie en studio. Ça avait continué dans les séances pour «In a Silent Way». Puis j'avais songé à quelque chose de plus important, un squelette de pièce.

Je leur ai annoncé ça en répétition, puis j'ai distribué les petites grilles que tout le monde connaissait bien maintenant depuis «Kind of Blue» et «In a Silent Way». On a commencé tôt dans le studio de Columbia, dans la 52e Rue. On a enregistré trois jours complets en août. J'avais dit à Teo Macero, le producteur du disque, de laisser tourner les bandes, de prendre tout ce qui se jouait, de prendre tout et de ne pas venir interrompre ou poser des questions.

Quand on a commencé à jouer, tel un chef d'orchestre, j'ai dirigé. J'écrivais un peu de musique pour tel ou tel musicien, je disais à l'autre de jouer des trucs que j'entendais, tout ça tandis que la musique grandissait, prenait forme. [...]

Parfois, au lieu de laisser simplement tourner la bande, j'ai demandé à Teo de me la repasser pour voir ce qu'on avait fait. Si je voulais quelque chose d'autre à tel ou tel endroit, je faisais intervenir le musicien, et c'était tout.

Miles Davis avec Quincy Troupe,
op. cit.

Les esquisses de Weather Report

Wayne Shorter compare les méthodes de travail de Miles Davis avec celles du groupe Weather Report à ses débuts.

– Quand vous apportiez de nouvelles compositions pour l'orchestre de Miles, comment cela se passait-il?

En fait, nous n'avons jamais vraiment répété. J'arrivais au studio avec mes partitions et nous les jouions de différentes manières, les arrangements étaient suffisamment ouverts pour cela… C'est un peu comme si je n'utilisais pas de ponctuation, de virgules, de points d'interrogation…

C'est une formule tout à fait différente de la «song form» traditionnelle, une formule qui doit permettre en son sein les plus grands mouvements.

– Et avec Weather Report?

Nous traçons des esquisses, nous énonçons des idées, et nous répétons parce que nous avons choisi de prendre notre temps et de répéter. Nous travaillons ces idées, nous voyons ce que chacun peut en faire. Josef, Miroslav et moi écrivons pour le groupe, aussi bien ensemble que séparément, mais l'élaboration finale est collective : chacun écoute les idées des autres, la façon dont il les joue.

– Utilisez-vous toujours des grilles d'accords pour improviser?

Non, il n'y a pas d'accords préétablis. Nous mettons en place quelque chose qui ressemble à un scénario en filigrane pouvant se modifier selon le feeling du moment. Nous essayons de ne pas construire quelque chose de trop logique.

in *Jazz Magazine*,
novembre 1971

John Scofield, guitariste de Miles

Guitariste de Miles Davis dans les années quatre-vingt, John Scofield donne des précisions sur l'enregistrement de «Decoy» (1984). Le comparant avec son propre album «Electric Outlet» (1984), il nous renseigne sur l'évolution du travail en studio.

Ce thème [*What It Is*] est né en studio. Miles commençait toujours toutes les prises tout seul. Nous avons dû en faire une dizaine avec un feeling de blues lent – ce n'est pas sur le disque. Mais cette intro-là, en solo, a donné *Robot 415*, qui a ensuite été repris et refait. Gil [Evans] est arrivé ce jour-là avec une musique. Il nous a dit : «Vous reconnaissez ? C'est ce que vous avez joué hier soir chez Miles.» Miles nous a fait travailler des accords de passages, de *do* septième à *fa* septième, puis avec un petit pont de *mi* septième à *mi* bémol septième, de *ré* septième à *sol* septième. Puis, sans que je le sache, il avait donné la bande à Gil en lui disant : «Transcris ce que John a joué dans certains passages.» Pendant près de deux heures on avait travaillé et retravaillé. [...]
Je faisais un solo, Miles jouait, puis Branford [Marsalis] faisait un solo, Miles rejouait, nous jouions la mélodie, et ainsi de suite. Puis nous nous arrêtions, il écoutait les prises et disait : «Bon, essayons ça...» [...]

– En quoi vos méthodes diffèrent-elles de celles de Miles?

Miles joue avec le groupe, puis ajoute quelques touches. «Electric Outlet» a vraiment été fait de manière complètement différente. Je l'ai entamé chez moi, en enregistrant une partie de guitare et de basse, avec une boîte à

J ohn Scofield.

rythmes. Puis j'ai refait ça en studio. Ensuite, nous avons ajouté un vrai batteur, un vrai joueur de synthétiseur, et de vrais souffleurs : Dave Sanborn et Ray Anderson.

– Steve Jordan a donc joué alors que la plage était déjà enregistrée?

Exactement. Il y avait une boîte à rythmes à sa place sur cette plage-là, il n'y en a plus aucune trace, mais sur certaines autres on a laissé la grosse caisse et la caisse claire pour un peu épaissir le back beat. Le procédé peut devenir mécanique, très froid, mais nous avons essayé de le décoincer. Si j'avais une idée, je la jouais. Steve réagissait à une idée que j'avais eue la veille. Le saxophoniste réagissait à ce que Steve jouait. Ce disque repose à 50 % sur la réaction des musiciens les uns aux autres – en direct, c'est à 100 %, mais là, évidemment, le type sur la bande ne pouvait pas réagir… Pour moi, qu'il s'agisse d'une bande ou d'un groupe, je fais la même chose. J'essaie simplement de jouer le moment présent. Et je joue toujours avec des gens, qu'ils soient pré-enregistrés n'y change rien. Quand je ferme les yeux, en studio, quand j'ai le casque sur les oreilles, que le batteur soit là ou pas n'est pas déterminant.

In *Jazz Magazine*,
mai 1991

Le piano Fender

Miles Davis explique l'introduction du piano Fender dans sa musique :

J'avais dans l'oreille une ligne de basse avec les voicings utilisés par Gil avec son big band. [...] Ce n'était pas simplement que je voulais passer à l'électricité, comme beaucoup l'ont dit, histoire d'avoir quelques trucs électriques dans le groupe. Je cherchais un voicing qu'un Fender Rhodes pouvait m'apporter, pas un piano. Idem pour la basse; les musiciens doivent utiliser les instruments qui reflètent le mieux leur époque, la technologie qui leur donnera ce qu'ils veulent entendre.

Herbie Hancock raconte ses premiers pas sur cet instrument.

C'était à l'occasion d'une session avec Miles : le seul clavier présent était un Fender Rhodes. J'ai demandé à Miles : «De quoi veux-tu que je joue?» Il m'a soufflé d'une voix rauque: «Joue ça.» [...]

Non seulement je n'en avais jamais joué, mais en plus quelqu'un m'avait raconté des salades inquiétantes au sujet de ce gadget. J'essaie malgré tout, je

plaque un accord, et whouah! ça sonnait si chaud, si harmonieux, tellement riche et «pêchu», que je l'ai tout de suite adopté.

Ensuite je me suis mis à la pédale wha wha et j'ai utilisé une chambre d'écho Echoplex, en retirant le couvercle du Fender afin de trouver où les brancher : à l'époque il n'avait pas été conçu pour cela.

La musique que nous faisions était d'avant-garde, mais aussi une combinaison de plusieurs styles, couvrant ainsi un champ musical assez large. J'ai réalisé alors qu'il me fallait davantage de sons, ce qui m'amenait quelquefois à jouer sur les résonateurs du Rhodes avec des mailloches… Je me souviens que, plusieurs fois, Harold Rhodes est venu nous voir et, en constatant tous ces branchements bizarres, m'a demandé : «Mais qu'est-ce que vous lui avez fait?» C'est à partir de là que ses pianos ont été équipés d'office de jacks d'insertion d'effets. Je lui ai également suggéré l'installation d'une sortie directe pour le studio, car de plus en plus de musiciens en ressentaient la nécessité.

in *Jazz Hot*,
été 1983

De la contrebasse à la basse électrique

Pour Steve Swallow, passer de la contrebasse à la basse électrique c'est aussi une occasion d'ouvrir son esprit à d'autres musiques.

Après n'avoir écouté que Paul Chambers, Perey Heath, etc., quand je suis passé à la basse électrique j'ai découvert d'autres musiques que je me suis mis à aimer. Si bien que les disques que j'achète actuellement ne sont pas, pour l'essentiel, des disques de jazz,

S teve Swallow.

mais plutôt de soul music. [...] J'ai d'abord écouté Marvin Gaye pour entendre Jamerson, puis j'ai prêté plus d'attention à Marvin Gaye qu'à son bassiste, et j'ai découvert une autre musique que j'aime autant, maintenant, que le jazz. Autre repère pour moi, Larry Graham, le bassiste de Sly and the Family Stone.

in *Jazz Magazine,* septembre 1986

Une coloration rock

A l'inverse, John Abercrombie est venu au jazz par le rock.

Au début, à l'époque de l'album «Timeless», je me trouvais dans une phase d'imitation. Il faut dire que j'étais alors très influencé par John McLaughlin et son Mahavishnu Orchestra. J'étais aussi très copain avec Jan Hammer avec lequel je partageais un appartement.

Cela dit je ne me considère toujours pas comme un bon guitariste de rock comme peut l'être par exemple Van Halen ou même Jeff Beck pour lequel j'ai une profonde admiration. En réalité, je ne fais qu'apporter une coloration rock à ma musique même si au départ j'ai caressé l'espoir de devenir un guitariste de rock'n'roll à part entière... Mais le jazz a rapidement pris le dessus.

L'électronique me fascine et j'ai dû essayer tous les gadgets possibles et imaginables, des premières pédales de distorsion à la guitare synthé, en passant par les pédales wah wah, «phase shiffers» et autres «reverbs». Grâce à ces nouveaux sons, j'arrive à jouer et à composer de façon radicalement différente, ce qui est source de renouvellement. D'autre part la curiosité que j'éprouve pour les musiques orientales, ethniques ou des styles plus classiques m'a guidé naturellement vers la guitare synthé qui me permet d'adopter une grande palette de couleurs même si le jeu peut sembler plus agressif.

In Jazz Hot, juin 1989

Du côté des Brecker

La personnalité de Miles Davis est telle qu'au sujet du jazz rock et de l'électrification on a tendance à ne parler que de ses anciens compagnons. Comme Steve Swallow ou John Abercrombie, les frères Brecker appartiennent à d'autres familles musicales.

Randy Brecker : «Mike et moi avons été très marqués par le premier disque de Coryell, sous le nom des Free Spirits, avec Bob Moses et Jim Pepper. C'était une sorte de country-rock jazzifié avec des paroles intéressantes. Un très bon disque. C'est à cette époque qu'est né le groupe Dreams; Mike et ses musiciens avaient fait un bœuf auquel s'est joint Billy Cobham. Ça a bien marché, et l'on nous a proposé de travailler pour monter un groupe régulier. Abercrombie nous a rejoints peu après.»

Michael Brecker : «Jim [Pepper] est un Indien Creek, qui a très peu enregistré. Il a un son énorme, et il joue assez free, un peu comme Dewey Redman. Je venais de terminer mes études universitaires, je jouais beaucoup de rock'n'roll à cette époque, et ce disque m'a fait réfléchir. J'ai soudain compris certaines choses, à cause des idées et du phrasé de Pepper.»

«Rock 'n' roll tenor»

Instrument marginal jusqu'à la fin des années soixante, la guitare devient ensuite un instrument moteur de l'histoire du jazz. Ainsi Michael Brecker avoue ses influences plutôt du côté des guitaristes et des chanteurs.

J'étais un des rares à jouer du «rock'n' roll tenor». C'était un champ libre […] J'aimais bien jouer autre chose que du be-bop pur, transposer des trucs de bop sur le rock'n' roll. […] J'ai grandi avec toute cette musique. A la maison, il y avait toujours du jazz et du rock'n'roll. J'étais alors très influencé par les guitaristes comme B.B. King, Albert King, Eric Clapton et Hendrix, qui pour moi est un génie. C'était une période très excitante, quand on a créé le groupe Dreams, avec Cobham, Abercrombie et les autres. Dans cette période de mélange entre le jazz et le rock'n'roll, un saxophoniste avait la voie libre : dans ce contexte, je pouvais trouver un son original alors qu'en jouant du jazz, je n'étais qu'un Coltrane au rabais…

– Tu n'écoutais pas aussi les saxophonistes de blues comme A.C. Reed?

Non : plutôt les guitaristes; c'étaient eux qui «fonçaient» (really did it) à l'époque dans ce genre de musique. Tout ce qui ne venait pas du be-bop était dans le phrasé des guitaristes et des chanteurs. Et dans mon subconscient, tout cela s'est fondu. Je n'ai jamais voulu sonner comme un musicien be-bop.

in Jazz Hot,
septembre-octobre 1982

Michael et Randy Brecker.

Jazz en France

France, terre d'accueil, le mot n'est pas vain en ce qui concerne le jazz. Mais elle fit plus que l'accueillir. Les musiciens français furent parmi les premiers dans le monde à l'assimiler et à en faire une musique sans frontières.

Valses swing et jazz hot

La Première Guerre mondiale avait vu l'entrée en France des troupes américaines qui amenaient dans leurs bagages une musique aux accents nouveaux.

Sitôt le conflit résolu, la scène parisienne multiplia ses invitations aux musiciens noirs. D'abord révélés au sein de formations de music-hall (ainsi Sidney Bechet dans la *Revue nègre*), les jazzmen suscitèrent des passions toujours plus nombreuses autour de Hugues Panassié et Charles Delaunay. En 1935, ceux-ci créèrent *Jazz Hot*, la première revue de jazz au monde.

A la même époque, avec Jean Sablon, et surtout Charles Trénet, la chanson française devint «swing». En fait c'est tout le music-hall hexagonal qui était contaminé. Dans les fosses d'orchestre, d'authentiques jazzmen constituaient des pupitres entiers, occupant souvent même des places de direction. Ainsi naquirent les orchestres de Jacques Hélian, Ray Ventura et Alix Combelle. Dans les studios d'enregistrement, les instrumentistes français avaient parfois l'occasion de confronter leur talent à ceux des artistes noirs américains de passage. Mais un événement d'une tout autre importance allait inscrire pour la première fois le nom de la France au premier plan de l'actualité du jazz. Formé au bal musette et à l'école manouche, le guitariste Django Reinhardt fut le premier à employer la syntaxe des Noirs américains au profit d'un langage musical original. Avec le violoniste Stéphane Grappelli, il créa le Quintette du Hot Club de France, formation originale sans cuivre ni batterie. Ainsi Reinhardt (avec ses disciples les frères Matelo, Sarane et

Django Reinhardt.

Baro Ferret), et Grappelli (avec son concurrent direct Michel Warlop), furent à l'origine d'une tradition française de «jazz à cordes» qui s'est perpétuée jusqu'à nos jours. Les accordéonistes eux-mêmes (Gus Viseur, Tony Murena, Jo Privat) apportèrent leur contribution à ce jazz à la française, teintant en retour leur répertoire musette de valses-swing.

A Saint-Germain-des-Prés

A la Libération, après quatre ans d'isolement, la France accueillit le retour du jazz américain avec enthousiasme.

Un nouveau style était apparu dans l'intervalle sans que l'on en sache rien. La bataille du «vrai jazz» menée par Hugues Panassié et les partisans du New Orleans revival contre le style bop défendu par Charles Delaunay, Boris Vian et André Hodeir dans la revue *Jazz Hot*, fut livrée dans les coulisses d'une scène française entièrement préoccupée jusque dans les années soixante par la fidélité aux modèles américains. Dans les caves de Saint-Germain-des-Prés, ces derniers (Lester Young, Bud Powell) se produisent alors régulièrement, certains d'entre eux s'installant même définitivement en France (Sidney Bechet, Kenny Clarke). Ils trouvent auprès des jazzmen français d'excellents «sidemen». Certains d'entre eux parviennent à s'épanouir de manière personnelle dans le cadre de l'orthodoxie du jazz américain (les saxophonistes Guy Lafitte, Barney Wilen, les pianistes Maurice Vander, Georges Arvanitas), mais on constate déjà chez les pianistes Bernard Peiffer et Raymond Fol, le contrebassiste Pierre Michelot et le saxophoniste Jean-Claude Fohrenbach une évidente aspiration à se dégager du moule original. C'est en défendant des

Martial Solal.

conceptions tout à fait personnelles que le compositeur André Hodeir et le pianiste Martial Solal se feront connaître par-delà les frontières.

Le free en famille

Dans les années soixante, le jazz a perdu de son prestige auprès des jeunes générations.

Les anciens bopers sont au chômage ou absorbés dans des travaux alimentaires auprès de chanteurs yéyé ou au sein d'orchestres d'ambiance. Comme aux Etats-Unis, le free jazz a rejeté les règles et les vieilles idoles. Non seulement il correspond aux préoccupations de la jeunesse en révolte, mais il encourage l'affranchissement des sensibilités musicales à l'égard des grands frères d'Amérique. Pour les jeunes musiciens français, dont beaucoup se font la main dans les grandes formations de Jef Gilson, la New Thing et, bientôt, les orchestres électriques de Miles Davis servent de modèles. Mais c'est moins un vocabulaire précis qu'une certaine indépendance d'esprit qui les intéresse. Le batteur Aldo Romano, les bassistes Jean-François Jenny-Clark et Bernard Guérin, le pianiste François Tusques, le trompettiste Bernard Vitet, les saxophonistes Michel Portal et Jean-Louis Chautemps prennent la tête du mouvement. A partir de 1968, les expériences communautaires se multiplient autour de l'improvisation (le Cohelmec Ensemble, le Dharma Quintet,

le Workshop de Lyon). La disparition des codes, la diversification des pratiques fractionnent le paysage du jazz en familles. Privées des structures communes qui permettaient autrefois le bœuf, les rencontres impromptues sont devenues rares, mais caractérisées par l'intensité de l'écoute mutuelle. L'improvisation collective est devenue la quête, souvent menée sur le mode dramaturgique, d'un terrain d'affinités, d'un folklore imaginaire (ainsi certains musiciens lyonnais créent l'Arfi, Association à la recherche d'un folklore imaginaire). Véritable «théâtre des âmes», l'improvisation tend alors à concrétiser son caractère dramatique par des actions scéniques qui vont se systématiser au cours des années soixante-dix avec notamment la Compagnie Lubat.

L a Marmite infernale (Arfi).

Chemins de traverse

Du free jazz au jazz néo-classique, la scène française se diversifie.

Alors que s'évanouissent les aspirations de Mai 68, la fin des années soixante-dix connaît une radicalisation qui n'est pas sans partager ses motivations avec le mouvement «autonome» et la génération punk (Un drame musical instantané, Jac Berrocal).

Entretenant des rapports de diverses natures avec le free, d'autres musiciens tout aussi singuliers se font entendre en empruntant des voies plus classiques.

Jean-Luc Ponty a rénové la pratique du violon, dès les années soixante, en l'électrifiant et en adaptant son jeu à l'héritage coltranien. Il disparaît bientôt, absorbé par une carrière américaine, non sans avoir suscité de nombreuses vocations qui connaîtront la consécration dans les années quatre-vingt (Pierre Blanchard, Didier Lockwood, Dominique Pifarély). La tradition du jazz à cordes y trouvera un second

Henri Texier.

souffle autour du Swing Strings System de Didier Levallet, tandis que l'accordéon recommence à faire parler de lui sur la scène du jazz français (Marcel Azzola, Richard Galliano, Francis Varis). Egalement à l'écart des catégories, Eddy Louiss s'impose comme l'un des grands maîtres de l'orgue Hammond avec une musique teintée de réminiscences de ses Antilles natales. Pour illustrer ses coups de gueule sur la qualité de la scène française, Daniel Humair multiplie les coups de génie sur la batterie auprès des anciens, Français ou Américains, ou des musiciens free dont il apprécie la confrontation, quoiqu'il ne partage guère leurs options. Avec le saxophoniste François Jeanneau et le contrebassiste Henri Texier, il trouve un équilibre entre le renouvellement permanent de l'improvisation libre et une rigueur trop souvent absente du free jazz. De nombreux musiciens de la scène free des années soixante partagent ces préoccupations, comme Jean-François

Jenny-Clark, Aldo Romano, ou le pianiste allemand installé en France Joachim Kühn, qui font désormais figure de valeurs sûres. La fin des années soixante-dix voit aussi revenir sur le devant de la scène de grandes figures disparues dans les années soixante, comme le pianiste René Urtreger. Ce retour correspond à l'avènement d'un jazz néo-classique, ni «orthodoxe», ni avant-gardiste, qui s'exprime souvent en petit comité (duo ou trio) dans de petits clubs où la batterie est interdite pour raison de tapage nocturne : les duos contrebasse-guitare (Patrice Caratini et Marc Fosset) et piano-contrebasse (François Couturier et Jean-Paul Céléa), les associations diverses du guitariste Christian Escoudé, du pianiste Michel Graillier. Apparu à l'aube des années quatre-vingt, le jeune Michel Petrucciani abandonnera très vite cette réalité intimiste pour une fulgurante carrière outre-Atlantique. Mais depuis, dans les clubs de la capitale, du pianiste Alain Jean-Marie au saxophoniste Sylvain Beuf, en passant par les trompettistes Eric Le Lann ou Jean-Loup Longnon, on n'a cessé de revisiter l'héritage du bop.

La génération du Savoy

A la veille des années quatre-vingt, les grandes formations renaissent, en même temps qu'un goût prononcé pour l'écriture reprend ses droits.

Après Ivan Jullien et Claude Cagnasso, François Jeanneau et Patrice Caratini inaugurent cette nouvelle vague de big bands, aux effectifs souvent originaux. La prolifération des talents en ce domaine (Antoine Hervé, Laurent Cugny, Luc Le Masne, Denis Badault) va motiver, en 1986, la création d'un outil spécifique, l'Orchestre national de jazz

Laurent Cugny et Gil Evans.

(ONJ), significatif de l'intérêt des pouvoirs publics pour le jazz depuis 1981. Déjà troublés par le recul du free, les spécialistes sont intrigués par ce jazz soudain protégé des institutions et dont l'enseignement trouve place dans de nombreuses écoles, comme c'est pourtant le cas aux Etats-Unis depuis belle lurette si l'on en croit les biographies de beaucoup de musiciens américains. L'effondrement des barrières entre les genres voit également un nombre croissant de musiciens pratiquer l'improvisation au sortir d'études de conservatoire, avec un bagage culturel plus rock que jazz et une technique à toute épreuve.

Une génération nouvelle émerge, essentiellement parisienne, formée dans la concurrence des clubs de la capitale comme le Savoy, au début des années quatre-vingt. Davantage tournés vers l'art de Miles Davis ou de Wayne Shorter, la pop music ou les productions ECM que vers le free jazz ou le bop, ce sont les guitaristes Marc Ducret, Malo Vallois, Serge Lazarévitch ou Lionel Benhamou, les pianistes Zool Fleischer,

Antoine Hervé ou Andy Emler, le saxophoniste Eric Barret, les trompettistes François Chassagnite ou Antoine Illouz, le tromboniste Denis Leloup, les batteurs Peter Gritz ou Tony Rabeson, les contrebassistes Michel Benita ou Marc Michel, le percussionniste François Verly.

Très présente dans la presse française, la critique universitaire issue des années soixante s'est longtemps montrée condescendante pour cette famille de musiciens qui a investi l'ONJ. Elle les trouve trop brillants et leur préfère les héritiers du mouvement free plus conformes à ses fantasmes hérités des engagements de 68. Ces derniers ont gagné leur indépendance d'esprit à l'écart de la concurrence qui règne dans les clubs parisiens. Souvent issus du milieu associatif, ils ont su mettre à profit la politique d'aide à la création dont le jazz commence à bénéficier à partir de 1981. Dans les festivals d'hiver et de printemps qui se multiplient en province comme en banlieue parisienne, les projets les plus fous voient ainsi le jour au cours d'opérations sans lendemain plus ou moins réussies qui se font au détriment du travail des formations régulières.

Un certain œcuménisme

Au fil des années quatre-vingt, la distinction faite par certains entre «créateurs» et «techniciens» a perdu tout son sens.

La famille des libertaires n'est pas exempte de ces clichés et poncifs qu'elle perçoit dans les rangs de l'ONJ, mais depuis l'avènement du clarinettiste Louis Sclavis, il s'y est révélé de réels talents : les guitaristes Claude Barthélémy (qui prend la direction de l'ONJ en 1989) et

Philippe Deschepper, le tromboniste Yves Robert, le batteur Gérard Siracusa, le contrebassiste Bruno Chevillon. Bien plus, les deux familles se sont découvert au fil des années un respect mutuel et des aspirations communes qui les amènent à de nombreuses collaborations : Marc Ducret avec Yves Robert, le chanteur basque Benat Achiary avec Andy Emler, Louis Sclavis avec Dominique Pifarély, le collectif Zhivaro qui, sous le parrainage de vétérans comme Jacques Mahieux, Gérard Marais ou Henri Texier, fait défiler des invités de tous bords au cours de ses nuits de rencontres.

D'autres familles semblent cependant être restées à l'écart de cette actualité : celle de Christian Vander, père avec Magma d'un jazz rock français, qui accueillit dans ses groupes nombre de jeunes musiciens (le saxophoniste Richard Raux, puis les pianistes Michel Graillier, Francis Lockwood et Jean-Pierre Fouquey, les batteurs François

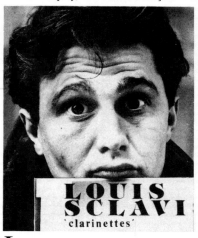

L ouis Sclavis.

Laizeau et Simon Goubert). Celle du catalogue JMS, formée autour du violoniste Didier Lockwood, lui-même issu de Magma. Celle des «Niçois», autour du batteur André Ceccarelli (le bassiste électrique Jean-Marc Jafet, le pianiste Robert Persi, le claviériste palois Thierry Eliez). Nombre d'entre eux, comme le guitariste Khalil Chahine, se sont découvert une sensibilité différente au contacts des studios où ils ont collaboré à des musiques destinées au grand public.

Multi jazz

La vocation d'accueil de la France n'est pas sans influence sur la richesse de la scène française.

Les Américains, très employés dans la capitale, sont toujours nombreux à vivre dans nos frontières (du ténor de Johnny Griffin au soprano de Steve Lacy, en passant par la chanteuse Dee Dee Bridgewater ou le pianiste Eric Watson). Mais ce sont aujourd'hui des musiciens de toutes nationalités qui se sont laissé attirer par la vitalité de la scène parisienne, comme le contrebassiste italien Riccardo Del Fra, le saxophoniste

danois Simon Spang-Hanssen ou le pianiste yougoslave Bojan Zulfikarpasic. A l'instar des Brésiliens, certaines communautés n'ont pas oublié leurs racines musicales. Les Africains (à la suite du saxophoniste Manu Dibango) et les Antillais de Paris (dont le pianiste Michel Sardaby incarne la génération précédente) sont à l'origine d'une fusion au métissage typiquement parisien (Sixun et Ultramarine). De même les Argentins, aux habitudes rythmiques pourtant si étrangères au jazz, ont été abondamment sollicités (les trios Mosalini / Beytelmann / Caratini ou Gubitsch / Calo / Céléa). Les rencontres franco-turques entre la chanteuse Senem Diyici et les musiciens du groupe Ecume, ou entre le clarinettiste Sylvain Kassap et le percussionniste Okay Temiz ont contribué à diversifier encore un paysage musical français dont la description exhaustive échappe à ces quelques lignes.

Longtemps, ces échanges avec l'étranger se firent à sens unique. Même à l'intérieur de l'Europe, la France fut longtemps exclue de la solidarité qui existait entre les avant-gardes de ses pays frontaliers. Aujourd'hui, les contacts permanents entretenus par Dominique Pifarély et Jean-Paul Céléa et les musiciens du Vienna Art Orchestra sont significatifs d'une situation nouvelle, qui voit la France reconnue comme jamais elle ne le fut. L'ascension récente du Trio Machado, du Trio à Boum ou du Patrick Fradet Quartet, l'apparition de jeunes musiciens destinés à leur emboîter le pas, tels les guitaristes Noël Akchoté, Eric Löhrer et David Chevallier, ou les saxophonistes Julien Loureau et Laurent Dehors, laissent à penser que le jazz en France est une affaire à suivre.

Franck Bergerot
et Arnaud Merlin

Michel Portal, en compagnie de Jean-François Jenny-Clark et Daniel Humair (en haut) : un précurseur des musiques improvisées européennes.

GUIDE DISCOGRAPHIQUE DU JAZZ MODERNE

Avec l'apparition du microsillon, la discographie d'un artiste n'est plus dispersée sur de multiples faces 78 tours. Chaque titre enregistré tend à devenir l'extrait d'une œuvre plus large : l'album. Certains morceaux restent cependant délicats à repérer autrement que par leur date d'enregistrement...
On trouvera ci-dessous l'illustration sonore nécessaire à la lecture des pages qui précèdent.

CHAPITRE I

Chet Baker/Gerry Mulligan Quartet : enregistrements Pacific et Fantasy, 1952.
Miles Davis : «The Birth of the Cool», Capitol (séances du nonette de Miles Davis de 1949 réunies en album ultérieurement).
Paul Desmond : disques sous son nom au gré des rééditions BMG; avec Dave Brubeck, Fantasy ou CBS.
Stan Getz : enregistrements Roost de 1951, à rechercher chez Vogue et Musidisc; «Stan Getz Plays», faces Verve de 1952 et 1954.
Woody Herman : *Four Brothers,* séance CBS du 27 décembre 1947; *Early Autumn,* séance Capitol du 30 décembre 1948.
John Lewis (Modern Jazz Quartet) : «Concorde», Prestige.
Shelly Manne : «The Three and the Two», Contemporary.
Shorty Rogers : «Modern Sounds», Capitol ou Affinity, 1951.
Lennie Tristano : enregistrements Prestige, Capitol et Atlantic (plus difficiles à rassembler).

CHAPITRE II

Art Blakey et les Jazz Messengers : «Moanin'», Blue Note (pour aborder une immense discographie).
Clifford Brown : «Study In Brown» et «At Basin Street», Emarcy.
Tadd Dameron : «Fontainebleau», Prestige; faces Blue Note et Savoy (avec Fats Navarro).
Miles Davis : enregistrements Prestige, 1951 à 1956 (cette période comprend la rencontre avec Monk).
Bill Evans : *Peace Piece,* dans l'album «Everybody Digs Bill Evans», Riverside (pour aborder le jazz modal).
Dizzy Gillespie : «The Be-bop Revolution», BMG (enregistrements du premier big band

de Dizzy).
Herbie Hancock : «Inventions & Dimensions», Blue Note (en exemple de la diversification métrique conquise par le hard bop et ses successeurs).
Thelonious Monk : enregistrements Prestige, 1952 à 1954; Riverside, 1955 à 1961 (écouter particulièrement les essais préliminaires au *Round Midnight* du 5 avril 1957); CBS, 1962 à 1968.
Fats Navarro (sous le nom de Bud Powell) : «The Amazing Bud Powell», Blue Note.
Horace Silver : «And the Jazz Messengers» et «Song For My Father», Blue Note.
Jimmy Smith : «The Sermon», Blue Note.

CHAPITRE III

Albert Ayler : «Live at the Village Vanguard», Impulse.
Art Ensemble of Chicago : «Nice Guys», ECM.
Gato Barbieri : «The Third World», BMG.
Dollar Brand : «African Piano», Japo.
Anthony Braxton : «Creative Orchestra», BMG.
Don Cherry : «Complete Communion», Blue Note.
Ornette Coleman : «The Shape of Jazz to Come», «Free Jazz», Atlantic.
John Coltrane : «Giant Steps», Atlantic; «Live at the Village Vanguard», «A Love Supreme», «Ascension», «Expression», Impulse. Sous le nom de **Miles Davis** : faces Prestige de 1956, faces CBS de 1956, 1958 et 1959 (tout particulièrement «Kind of Blue»). Sous le nom de **Thelonious Monk** : faces Riverside et Jazzland de 1957.
Anthony Davis : «Hemispheres», Gramavision.
Eric Dolphy : «Out to Lunch», Blue Note.
Chris McGregor : «Country Cooking», Virgin.
Charles Mingus : «Blues and Roots», Atlantic; «Town Hall 1964», America.
Michel Portal : «Splendid Yzlment», CBS; «Dejarme Solo», Dreyfus (à défaut d'autres rééditions régulières des musiques improvisées européennes des années soixante-dix).
Pharoah Sanders : «Tauhid», Impulse.
Archie Shepp : «The Way Ahead», Impulse.
Cecil Taylor : «Conquistador», Blue Note (en petite formation); «Garden», Hat Hut (en solo).
World Saxophone Quartet : «Steppin'», Black Saint.

La dispersion des courants esthétiques et l'explosion discographique de ces trente dernières années nous oblige pour les deux chapitres suivants à un très large balayage.

CHAPITRE IV

Les marginaux de l'histoire

Erroll Garner : «Concert By the Sea», CBS.
Oscar Peterson : «Girl Talk», MPS.
Sonny Rollins : «Saxophone Colossus», Prestige.
Martial Solal : «The RCA Sessions», RCA.

En lisière du free jazz

Don Ellis : «How Time Passes»; **Booker Little** : «Out Front»; **Max Roach** : «We Insist!». Sur le catalogue Candid.
Herbie Hancock : «Maiden Voyage»; **Joe Henderson** : «Inner Urge»; **Bobby Hutcherson** : «Dialogue»; **Jackie McLean** : «One Step Beyond»; **Wayne Shorter** : «Speak No Evil» et «Juju»; **McCoy Tyner** : «The Real McCoy»; **Anthony (Tony) Williams** : «Lifetime». Sur le catalogue Blue Note.

De Bill Evans au quintette de Miles Davis

Bill Evans : «The Village Vanguard Sessions», Riverside, 1961 (avec Scott LaFaro et Paul Motian); «You Must Believe In Spring», Warner (l'un des derniers trios); «Undercurrent», United Artists (duos avec Jim Hall).
Miles Davis : enregistrements en public à Antibes (1963), à Berlin et à Tokyo (1964), et au Plugged Nickel à Chicago (1965). Aux albums déjà cités dans le cours du texte, pour illustrer l'évolution du trompettiste de 1964 à 1969, ajouter «Water Babies» et «Filles de Kilimanjaro», significatifs du tournant pris au cours de l'année 1968 (tous ces disques chez CBS).

L'avènement du jazz rock

Brecker Brothers : «Heavy Metal Be-Bop», Novus.
Gary Burton Quartet (avec Larry Coryell et Steve Swallow) : faces RCA de 1967 au gré des rééditions BMG (pour prendre le pouls de la génération montante de ces années).
Chick Corea (Return to Forever) : «No Mystery», Polydor.
Miles Davis : «In a Silent Way», «Bitches Brew», «Jack Johnson», «On the Corner», «Agharta», CBS.
Herbie Hancock Group : «Headhunters», CBS.
John McLaughlin (Mahavishnu Orchestra) : «Birds of Fire», CBS.
Weather Report : «Mysterious Traveller», «Black Market», «Heavy Weather», «Night Passage», CBS.

L'espace ECM

John Abercrombie : «Timeless» et «Gateway», ECM (pour comprendre le passage du jazz rock à une musique plus aérée).
Paul Bley : «Open To Love».
Gary Burton et **Chick Corea** : «Crystal Silence».
Jan Garbarek :«Dansere».
Egberto Gismonti : «Sol Do Meio Dia».
Keith Jarrett : «Facing You» (en solo), «Survivor's Suite» et «Belonging» (en quartette).
Pat Metheny : «Bright Size Life».
John Surman : «Upon Reflection».
Ralph Towner : «Solstice».
Kenny Wheeler : «Deer Wan».

Tous chez ECM, pour survoler un catalogue symptomatique de l'époque.

CHAPITRE V

La musique noire américaine

Art Blakey : «Album of the Year», Timeless (avec les Marsalis), CBS.
Donald Harrison et **Terence Blanchard** : «Nascence», CBS.
Branford Marsalis : «Random Abstract», CBS.
Wynton Marsalis : «Black Codes», CBS.
Marcus Roberts : «Deep in the Shed», BMG.
Ornette Coleman : «In All Languages», Caravan of Dreams; **Miles Davis** : «Decoy», CBS; «Tutu», Warner; **Jack DeJohnette** : «Album Album», ECM. Tous trois pourraient être les parrains de la jeune génération représentée par **Geri Allen** : «The Nurturer», Blue Note; **Steve Coleman** : «Rhythm People», Novus; **Greg Osby** : «Man Talk», Blue Note; **Gary Thomas** : «By Means Necessary», JMT.

L'héritage du jazz chez les musiciens blancs

Riccardo Del Fra : «A Sip of Your Touch», Ida.
Marc Ducret : «Le Kodo», Label bleu.
Zool Fleischer : «Trios», Nocturne.

Bill Frisell : «Rambler», ECM et «Is That You», Elektra.
Keith Jarrett : «Standards Live», ECM.
Marc Johnson : «Bass Desires», ECM.
Joachim Kühn : «From Time to Time Free», CMP.
David Liebman et **Richard Beirach** : «Double Edge», Storyville.
Pat Metheny : «Offramp» et «Rejoicing», ECM.
Paul Motian : «Monk in Motian», JMT.
Gary Peacock : «Guamba», ECM.
Quest : «Quest», Storyville.
Aldo Romano : «Ritual», Owl.
John Scofield : «Meant to Me», Blue Note.

L'écriture pour moyennes et grandes formations

Claude Barthélémy : «ONJ 90-91», Label bleu.
Carla Bley : «Social Studies», Watt.
Patrice Caratini : «Onztet», Label bleu.
Miles Davis (arrangement de Palle Mikkelborg) : «Aura», CBS.
Andy Emler : «Megaoctet», Label bleu.
Gil Evans et **Laurent Cugny** (big band Lumière) : «Rhythm-a-Ning», Emarcy.
Antoine Hervé : «ONJ 87», Label bleu.
Jaco Pastorius : «Word of Mouth», Warner.
George Russell : «The London Concert», Label bleu.
Vienna Art Orchestra : «Suite for the Green Eighties», Hat Hut.

La révolution des machines musicales

Peter Erskine : «Transition», Bellaphon.
Eddy Louiss : «Sang mêlé», Nocturne.

Steps Ahead : «Modern Times», Elektra.
Wayne Shorter : «Atlantis», CBS.
Weather Report : «Sportin'Life», CBS.

Une musique de «fusion», dans tous les sens du terme

La totalité, ou presque, du catalogue GRP présente des produits aux ambiances exotiques soigneusement fabriqués en studio, typiques de ce que recherche le public de la fusion. Mais le terme de fusion désigne aussi toute la démarche du jazz contemporain, qui diversifie ses pratiques au gré des cultures qu'il rencontre. C'est le cas des exemples suivants :
Tony Coe : «Les Voix d'Itxassou», Nato.
Senem Diyici : «Takalar», La Lichère.
Michel Doneda : «Terra», Nato.
Jerry Gonzalez : «Rumba para Monk», Sunnyside.
Daniel Goyone : «Third Time», Label bleu.
Kip Hanrahan : «Days and Nights of Blue Luck Inverted», American Clavé.
Zakir Hussain : «Making Music», ECM.
Tony Hymas : «Oyaté», Nato.
Oregon : «Crossing», ECM.
Hermeto Pascoal : «E Grupo», Som Dagente.
André Ricros et **Louis Sclavis** : «Le Partage des Eaux», Silex.
Louis Sclavis : «Chine», Ida.
Sixun : «Explore», Open.
Okay Temiz et **Sylvain Kassap** : «Istanbul Da Eylül», La Lichère.
Ultramarine : «Dé», Musidisc.
Norma Winstone : «Somewhere Called Home», ECM.
Hozan Yamamoto : «Silver World», Philips.

BIBLIOGRAPHIE

Ouvrages généraux

– Gérald Arnaud, Jacques Chesnel, *Les Grands Créateurs du jazz,* Bordas, 1990.
– Joachim Ernst Berendt, *Le Grand Livre du jazz,* L.G.F., 1988.
– Sous la direction de Philippe Carles, André Clergeat, Jean-Louis Comolli, *Dictionnaire du jazz,* Laffont, 1988.
– André Francis, *Le Jazz,* Seuil, 1982.
– James Lincoln Collier, *L'Aventure du jazz* (vol. 2 : *Du swing à nos jours*), Albin Michel, 1981.

– Lucien Malson, *Les Maîtres du jazz,* P.U.F., 1989.
– Lucien Malson, Christian Bellest, *Le Jazz,* P.U.F., 1989.

Témoignages, portraits, biographies

– Christian Bethune, *Charles Mingus*, Editions du Limon, 1988.
– François Billard, *Lennie Tristano*, Editions du Limon, 1988; *La Vie quotidienne des jazzmen américains jusqu'aux années cinquante,* Hachette, 1989.

– Yves Buin, *Thelonious Monk,* P.O.L., 1988.
– Denis Constant-Martin, Didier Levallet, *L'Amérique de Mingus,* P.O.L., 1990.
– Laurent Cugny, *Las Vegas Tango, une vie de Gil Evans,* P.O.L., 1989.
– Miles Davis, Quincy Troupe, *Miles, l'autobiographie,* Presses de la Renaissance, 1989.
– Alain Gerber, *Portraits en jazz,* Renaudot, 1990.
– Dizzy Gillespie, Al Fraser, *Dizzy Gillespie, To Be or Not To Bop,* Presses de la Renaissance, 1981.
– Charles Mingus, Nel King, *Moins qu'un chien,* Parenthèses, 1982.
– Laurie et Art Pepper, *Straight Life,* Parenthèses, 1982.
– Ross Russell, *Bird,* L.G.F., 1988
– Robert Reisner, *Bird, la légende de Charlie Parker,* Belfond, 1989.
– Alain Tercinet, *Stan Getz,* Editions du Limon, 1989.
– J.-C. Thomas, *Chasin' the Trane, John Coltrane,* Denoël, 1984.
– Luigi Viva, *Pat Metheny,* Filipacchi, 1990.
– Patrick Williams, *Django,* Ed. du Limon, 1991.

Ouvrages spécialisés

– Philippe Bas-Raberin, *Le Blues moderne depuis 1945,* Albin Michel, 1986.
– Philippe Baudoin, *Jazz mode d'emploi, petite encyclopédie des données techniques de base,* Outre Mesure, 1990.
– Philippe Carles, Jean-Louis Comolli, *Free Jazz/Black Power,* Galilée, 1979.
– Denis Constant-Martin, *Aux sources du reggae,* Parenthèses, 1982.
– Gérard Herzhaft, *Le Blues,* P.U.F., 1986; *Encyclopédie du blues,* Seghers, 1990.
– André Hodeir, *Jazzistiques,* Parenthèses, 1984.
– Michel-Claude Jalard, *Le jazz est-il encore possible?* Parenthèses, 1986.
– Lucien Malson, *Des musiques de jazz,* Parenthèses, 1983.
– Norman Mongan, *Histoire de la guitare dans le jazz,* Filipacchi, 1986.
– Jacques Reda, *L'Improviste, une lecture du jazz,* Gallimard, 1990
– Robert Springer, *Le Blues authentique, son histoire et ses thèmes,* Filipacchi, 1985.
– Alain Tercinet, *West Coast Jazz,* Parenthèses, 1986.
– Collectifs, *Guide du jazz en Ile-de-France,* Cenam, 1989; *Jazz de France,* Cenam, 1989.

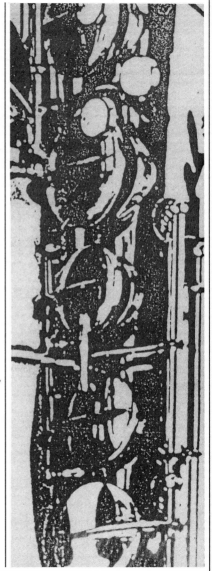

INDEX

CRÉDITS PHOTOGRAPHIQUES

Collection Philippe Baudoin 24b, 27, 30h, 33, 50m, 54h, 68hd, 100hd, 151. Franck Bergerot 145. Bettman Archive 18b, 28-29, 84, 186. Leroy Hart Bibbs 3, 4, 7, 8. Jean-Marc Birraux 93, 104, 106-107, 108, 109, 111b, 133, 142-143. Jean Buzelin 13. Centre d'information du jazz 16b, 79hd, 79mh, 79m, 79mb, 79b. Philippe Cibille 46, 64-65, 74hg, 99, 103, 105h, 108, 118, 143, 158. D.I.T.E. 57, 61h. D. R. 1er plat, dos, 4e plat, 1, 16h, 19, 20h, 20b, 21, 22h, 24h, 26, 32h, 37, 45b, 49, 50g, 53, 54b, 65b, 65h, 67hd, 67b, 68b, 69, 70h, 70b, 72, 76, 77, 79hg, 80hg, 80hd, 80mb, 80md, 80-81, 82h, 82m, 82b, 87h, 88, 91h, 91b, 97, 100h, 111h, 111hm, 111mb, 113, 119, 145. Collection F. A. 72h. Véronique Guillien 94-95, 97b, 105b. Horace 1er plat, 55, 62, 71, 92-93, 114, 124, 128. Magnum 59hd. Magnum/ Frank Driggs 15b. Magnum/Elliot Erwitt 59b. Magnum/Guy Le Querrec 38-39, 83, 101, 127, 134. Mephisto 2, 5, 45h, 72-73, 73, 102, 110b, 136, 138, 144, 147h, 147b. Mephisto/Bisceglia 47, 67hg, 84-85. Mephisto/Chenz 40, 40-41, 52b. Musée de la Publicité 11. Collection Francis Paudras 12, 18h, 25, 30-31, 31h, 34, 39, 42-43, 80bg, 114, 115, 121, 122, 125, 140, 141. Popperfoto 59hg. Redferns 63, 74, 75, 81bg, 86h, 97hg, 117, 123, 139. Redferns/Bob Willoughby 17, 22b, 23. Christian Rose 9, 56, 78, 89h, 89b, 90hg, 90hd, 92b, 96, 98, 106, 110h, 112. Alain Tercinet 20, 21. UPI-Bettmann 14-15h, 35h, 35b, 36, 58, 60h, 60-61, 86b, 87b. Val Wilmer 6, 28b, 32b, 36, 44, 48, 51, 54b, 63b, 66, 68hg, 130, 131.

REMERCIEMENTS

Les auteurs tiennent à remercier Pascal Anquetil, Claude Carrière et Alain Tercinet pour leur aide précieuse.

COLLABORATEURS EXTÉRIEURS

Didier Chapelot a réalisé la maquette de la première partie de cet ouvrage et Dominique Guillaumin celle des Textes et documents. Ariane Chottin a été responsable du suivi rédactionnel. Maud Fischer-Osostowicz a effectué la recherche iconographique. Béatrice Peyret-Vignals a assuré la lecture-révision.

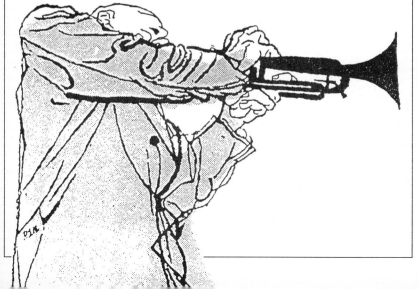

160

Table des matières